ALEGRÍA Y CURACIÓN

POR

TORKOM SARAYDARIAN

TSG PUBLISHING FOUNDATION, INC.

Alegría y Curación, 3ª Edición en Español
Titulo en Inglés: *Joy and Healing*

Primera y Segunda Edición en Español, Editorial Kier, 2003
Tercera Edición en Español, The Creative Trust, 2017

ISBN10: 978-1-947571-00-6
Sólo Edición rústica.

Impreso en los Estados Unidos de Norteamérica

Publicado por: T.S.G. Publishing Foundation, Inc.
PO Box 7068
Cave Creek, Arizona 85327-7068
Estados Unidos de Norteamérica
www.tsgfoundation.org

Nota: las meditaciones, visualizaciones y otra información referida a la salud son dadas como guías. Deben ser utilizadas con discreción y luego de recibir consejo profesional.

Publicado gracias a las donaciones efectuadas al

Fondo de Publicación de Libros de Torkom Saraydarian

Esta edición en español ha sido completada gracias al generoso apoyo del Grupo TSG en Idioma Español y al Grupo de Estudios Teosóficos de Valencia (España). Expresamos nuestra profunda gratitud hacia todos aquellos que colaboraron con este proyecto.

UNAS POCAS PALABRAS

Torkom Saraydarian dictó dos seminarios sobre los temas de la alegría y su aplicación en nuestra vida diaria. También dio muchas charlas y ejercicios para incrementar la alegría en nosotros y liberar los recursos de la alegría latente en nosotros. La información del seminario y los ejercicios están dados en este libro.

Si usted desea practicarlos, le sugerimos que los haga luego de obtener el permiso de su médico o profesional de la salud mental.

Imprimimos esta edición de *Alegría y Curación* con mucha gratitud hacia Torkom y el trabajo que desarrolló para difundir el mensaje de la alegría y de cómo usarla para realzar nuestra vida de muchas maneras.

Los Editores

El hombre no llega a la comprensión de su poder sin un Guía. Muchas diferentes trampas están escondidas en el sendero de un hombre. Cada víbora protegida manifestada espera ocultar del hombre aquello que es más precioso. Como un viajero que ha perdido su camino, no sabe en qué elemento buscar éxito; sin embargo, el tesoro está dentro de él.

Aum, párrafo Nº 371

Deseamos que las personas comprendan en dónde se encuentra su panacea. Estamos de fiesta cuando vemos que nuestros colaboradores han percibido el escudo de la alegría.

M.M.

SOBRE EL AUTOR

Torkom Saraydarian (1917 – 1997) nació en Asia Menor. Desde la niñez, fue entrenado en las Enseñanzas de la Sabiduría Eterna.

Visitó monasterios, templos anti-guos y escuelas de misterios con el fin de encontrar las respuestas a sus preguntas sobre el misterio del hombre y el Universo.

Vivió con Sufis, derviches, místicos Cristianos y maestros de música y danzas del templo. Su educación musical incluyó el violín, piano, laúd, cello y guitarra. Le tomó largos años de disciplina y sacrificio poder absorber la Sabiduría Eterna de sus fuentes verdaderas. La meditación se convirtió en parte de su vida diaria, y el servicio, una expresión natural de su alma.

Torkom Saraydarian dedicó su vida entera al servicio de sus congéneres humanos. Sus escritos, conferencias, y música, muestran su total devoción a los principios, valores y leyes superiores que están presentes en todas las religiones y filosofías mundiales. Estos trabajos representan una síntesis de lo mejor y más bello en la cultura sagrada del mundo. Sus trabajos enriquecen el pensamiento fundacional sobre el cual el hombre puede construir su Futuro.

Torkom Saraydarian escribió un gran número de libros, muchos de los cuales han sido publicados. Todos sus libros continuarán siendo publicados y distribuidos. Algunos han sido traducidos al armenio, alemán, italiano, español, portugués, griego, holandés y danés.

Dejó un rico legado de escritos y composiciones musicales para el disfrute y beneficio de toda la humanidad por muchos años por venir.

CONTENIDO

1

ALEGRÍA Y CURACIÓN

Primera Parte

Debido a mi buen karma, conocí en mi vida a muchas personas alegres que irradiaban alegría en sus pensamientos, emociones, acciones y relaciones. La gente alegre me atrajo desde niño. Siempre tuve un deseo profundo de saber qué es la alegría, qué es lo que la alegría puede hacer y qué maneras hay para desarrollar alegría y ser alegres.

He observado, desde mi niñez, que las personas alegres son magnéticas, exitosas, felices, creativas, sanas y honestas. En la escuela, yo estaba siempre alrededor de aquellos niños y niñas que eran alegres. Tenía la curiosa sensación de que quienes carecían de alegría estaban enfermos, o eran anormales o peligrosos, y esta observación se hizo más convincente a medida que pasaron los años.

También observé que los estudiantes, maestros y personas en general carentes de alegría, eran como cargas sobre mis hombros. Minaban siempre mi energía y entusiasmo. Con el paso de los años procuré observar más cosas relacionadas con la alegría e incrementar mi información sobre la alegría.

Por ejemplo, observé el efecto de la alegría sobre el cuerpo físico, las emociones y el pensamiento. Vi que la falta de alegría hace que una persona sea perezosa y reacia a esforzarse y trabajar. La falta de alegría hace que una persona sea arrogante, insensible, nada servicial, terca, y mentalmente cerrada, lenta, taimada o estrecha de mente. La mayoría de personas sin alegría que he visto son personas amargadas, y son aquellas que se valen de la calumnia, la malicia e incluso la traición.

Mi investigación fue muy informal. Traté de documentar mis observaciones y descubrimientos, pero siempre dejé mis escritos aquí y allá durante mis viajes. Cuando tuve acceso a bibliotecas, procuré encontrar libros que trataran sobre la esencia, la sustancia, la química o la anatomía de la alegría, pero sólo hallé observaciones superficiales. No encontré ni un libro cuyo tema fuera la alegría, ni una persona que fuera un especialista en la alegría. Incluso conocí a unos pocos psicólogos que se rieron de mí y pensaron que yo era un soñador al estar tan interesado en la psicología de la alegría.

Uno de mis maestros dijo en cierta ocasión que la alegría está condicionada por el ambiente y el bienestar físico y económico de una persona. Ni bien escuché estas palabras, pensé que había algo equivocado en ellas. Mis ulteriores observaciones me revelaron que la alegría no es un resultado de las condiciones físicas, emocionales o mentales, sino un estado de consciencia que supera todas estas condiciones y que es un factor condicionante o una causa de las condiciones.

Pasaron los años y proseguí mi estudio. Hace poco leí algunos pocos libros en los que se hacía una mención muy superficial de la alegría. Luego de leer estos libros, me convencí de que el mejor modo de saber qué es la alegría consiste en encontrar y observar a las personas que la poseen.

Una de las personas más alegres que conocí en mi vida fue mi Padre. Era un optimista nato. Era saludable, bien parecido, enérgico, y lleno de entusiasmo y esfuerzo. Era un trabajador incesante. Mi Padre pasó a través de las horas más sombrías que un ser humano podría experimentar. Todos sus parientes –ochenta y siete personas– fueron masacrados por los turcos. Mi padre se salvó, junto con mi madre, porque era farmacéutico y el hospital de nuestro pueblo no tenía boticario.

Pasaron los años, y una vez que la guerra y el genocidio concluyeron, mi Padre trasladó nuestra familia a una gran ciudad en la que pensó que la vida sería más segura. Abrió una farmacia muy moderna allí. En pocos años, la farmacia fue conocida en toda la ciudad por su servicio rápido y bueno.

Una mañana de verano, llegaron dos policías e informaron a mi Padre que tenían orden del gobierno de clausurar la farmacia durante una semana. De acuerdo con su habitual modo de ser, mi Padre les invitó a entrar en su oficina, les ofreció té y pastel, y quiso saber el motivo. Le dijeron que otra farmacia, propiedad de un armenio, había envenenado a un oficial. El farmacéutico estaba bajo investigación, y hasta que esto no finalizara, todas las farmacias armenias permanecerían cerradas.

Mi Padre tomó esa noticia con mucha calma. Esperó para ver cómo ponían sellos de cera en los cerrojos de su farmacia. Luego puso una sonrisa muy extraña y tomó un taxi para volver a casa. Su sonrisa era la condensación de muchos pensamiento — difíciles de expresar con palabras. En su sonrisa había previsión, comprensión interior y profecía. Sabía lo que iba a suceder, y ya había decidido no dejarse abatir por la fatalidad. Su sonrisa estaba diciendo claramente que sin importar lo ocurrido, él estaría por encima de ello.

En el trayecto a casa, él estaba muy tranquilo y sonreía serenamente. Mi Madre se sorprendió de que hubiésemos regresado temprano y preguntó: «¿Qué ocurre?».

Lo que yo esperaba era que Papá condenara y maldijera la situación, pero él le sonrió a mi Madre y respondió: «No es nada grave. Nos ordenaron que tomáramos una licencia de quince días hasta que el gobierno termine unas investigaciones sobre una farmacia sospechosa de haber preparado una receta tóxica… o algo parecido...».

«¿Y qué vamos a hacer?», preguntó ella.

«Sólo sé paciente, y todo saldrá como es debido».

Entonces nos llevó a mi Madre y a mí a comer a una isla en la que había un pinar. La fragancia de los pinos, la cena y la alegría del ambiente animaron nuestros corazones.

Durante los pocos días siguientes, mi Padre hizo el esfuerzo de reabrir su farmacia llamando al presidente del gobierno, el mismo Ataturk. Ataturk era un viejo amigo de mi Padre quien solía visitar nuestra farmacia. Los había visto conversar varias veces antes del suceso. Recuerdo una conversación en particular que ellos habían tenido varios años antes. Mientras se desarrollaba la conversación, Ataturk miró de pronto a mi padre y le dijo: «Yervant, ¿amas a tu nación, a tu país?».

«Sí Señor», le respondió mi Padre. «Amo a mi país - Armenia».

Ataturk sonrió enigmáticamente y le dijo: «Estoy orgulloso de ti. Quien ama a su propio país puede amar al país en el cual está viviendo. Eres un hombre confiable y sin miedo. Estoy orgulloso de ti».

Y estrechó la mano de mi Padre y se encaminó a su auto con sus guardias. Luego regresó y le dio a mi Padre uno de sus lápices.

Mi Padre había confiado en que ahora, Ataturk aclararía las dudas acerca de la farmacia en un segundo, y que él podría reabrirla. Pero fue imposible llegar a él. Todos los esfuerzos de mi Padre fueron bloqueados.

Pasaron seis meses, y un día muy temprano un policía vino a casa y le dio a mi Padre la llave de su farmacia junto con una nota del gobierno que decía: «El caso está cerrado. Le deseamos éxito».

Mi padre sonrió. Sabía bien lo que ellos querían decir. Sacó de su bolsillo un poco de dinero y se lo dio al policía que aguardaba. «Tome, puede que le sea útil un poco de dinero», le dijo. «Gracias por la llave». Y sonrió con la misma sonrisa que había mostrado cuando estaban sellando las puertas de su farmacia. El policía desapareció sin dar las gracias.

En camino hacia la farmacia, mi Padre dijo: «Para mí, toda la vida es como una obra de teatro. No es real. Por esta razón, algunas veces perder o ganar no hace ninguna diferencia para los actores... ¿No es así?».

«Supongo que no».

«Si perdemos, podemos volver a ganar. Si ganamos, podemos volver a perder... Bueno, veamos cómo anduvo la farmacia en mi ausencia».

Quitamos los cerrojos, y Papá abrió la puerta lentamente y con cuidado. La farmacia estaba vacía. Papá respiró profundamente y se puso a reír.

Yo estaba asustado.

El siguió riéndose. Después dijo: «Te apuesto a que la caja fuerte también está vacía».

La caja fuerte estaba vacía. Todo nuestro dinero en efectivo, joyas y oro habían desaparecido. Papá miró la llave y la tiró diciendo: «Yo sabía exactamente cómo iban a ser las cosas. Salgamos de aquí; vamos a buscar un buen almuerzo».

En el restaurante la gente le felicitó por haber reabierto la farmacia. «Gracias, gracias», dijo él. «Vamos a empezar de cero». Y empezó a reírse.

«Papá», le dije, «¿por qué te ríes?».

«Por primera vez me siento muy bien, muy bien sobre esto», me contestó. «Estas tragedias no pueden quitarme la alegría del corazón. Éste es un gran desafío para mí, para probar a mi Señor que puedo empezar a prestar servicio nuevamente».

Por la noche, muchos médicos, psiquiatras y otros amigos profesionales acudieron para consolarle y darle ánimo. Él les sirvió vino, bromeó y les hizo reír. Y les dijo: «En un sentido, estoy contento porque han quitado de mis hombros una pesada carga, pero lo lamento por aquellas personas a las cuales he estado sirviendo casi gratuitamente». Una de las costumbres de mi Padre era despachar gratis las recetas a la gente pobre.

Años más tarde, en una ocasión en la que hablábamos de este incidente, él dijo: «Ahorramos energía, salud y dinero al no caer en la depresión, la ira, el odio y la irritación, sino conservando nuestra alegría, paciencia y serenidad. Si hubiéramos perdido estos tres diamantes, el futuro se habría perdido para nosotros». Luego, con la misma extraña sonrisa, dijo: «La oscuridad también necesita su parte».

Una vez, cuando yo tenía seis años, vi una mariposa mientras estaba en el campo con mi Padre. Era tan grande y bella que quise contemplarla más de cerca. Creo que la mariposa sabía cuáles eran mis sentimientos porque cuando yo corría tras ella con gran alegría, se posaba en cierta rama o flor durante unos pocos segundos para darme la oportunidad de verla más de cerca, y después se alejaba volando.

Al correr tras ella, la mariposa me daba una nueva oportunidad de acercarme más, pero esta vez a una distancia mayor. Luego de un rato, miré hacia atrás y estaba a casi dos millas de mi Padre quien, supongo, se sentía feliz por mi alegría.

Eventualmente, la mariposa se detuvo en un arbusto, abrió sus alas y me permitió llegar muy cerca de ella y observar su belleza. En sus alas tenía los colores del arco iris, corriendo en franjas en la forma de una hoja. Yo estaba en una alegría extrema, a tal grado que empecé a correr y correr en torno al arbusto, bailando y cantando una canción que yo mismo inventé:

Mariposa, mariposa,
te amo.
Amo tu vestido.
Amo tus colores.
Te doy las gracias
por compartir tu belleza
conmigo.

Ya casi anochecía cuando regresé al árbol bajo el cual mi Padre estaba sentado. «¿Te gustó la mariposa?», me preguntó.

En lugar de contestarle, empecé a bailar y entonar la canción que yo mismo había compuesto. El me abrazó, me cargó sobre sus hombros y anduvimos unos kilómetros en silencio. Luego, cantó con un nuevo tono la letra de mi canción.

«¿Te gustó la canción?». me preguntó.

«Sí».

«¿Viste? La alegría crea canciones y belleza. Crea poemas… y éste es tu primer poema…».

De noche durante mi sueño, yo todavía estaba con aquella bella mariposa. A la mañana siguiente, fui muy temprano hasta la cama de mi Padre y le dije: «¿Sabes qué?».

«¿Qué?».

«Yo no toqué a la mariposa porque tuve miedo de lastimarla».

Me miró y la perla de una lágrima brotó de su ojo derecho y se deslizó por su nariz. Después, atrayéndome hacia su lecho, dormimos juntos unas horas. Esta fue una de las hojas de mi diario de alegría.

Tuve algunos Instructores que eran personas de mucha alegría. Algunos de ellos eran ermitaños que vivían en un estado de continuo éxtasis. Otros eran los directores o decanos de las grandes instituciones. Un Instructor en particular era tan poderoso en su alegría que solía llenar de júbilo nuestro corazón cuando entraba en nuestra aula o aparecía en un salón lleno de gente.

Otro Instructor rebosaba alegría todo el día por toda clase de razones. Por ejemplo, le alegraban los cantos de los pájaros, las flores, los árboles, los arroyos... Los niños solían colmarle de gran alegría o evocaban alegría en él. Nunca le vi enojado ni irritado. En las situaciones más complicadas o atemorizantes solía expresar gran alegría y sabiduría. Falleció mientras dormía, a los ciento diecisiete años de edad, con una bella sonrisa en su rostro...

Cuando yo era adolescente, me preguntaba qué clase de alegría debería tener — ¿la de los ermitaños o la de los guerreros de la vida? Salí del último monasterio que visité en 1939 y me dediqué a la Enseñanza. El máximo desafío de mi vida consiste todavía en tener el júbilo de diseminar la Enseñanza de la alegría en circunstancias difíciles. Las páginas siguientes explicarán mis sentimientos sobre el milagro de la alegría.

El Milagro de la Alegría

1. **La alegría es un estado del ser en el que tu consciencia no está condicionada por el ambiente ni por los pensamientos, emociones y actividades que tienen lugar en tu entorno.** Oyes el estrépito de la vida, pero no afecta tu consciencia. Un momento de alegría es el de un estado incondicionado de consciencia. Tienes alegría, no porque las cosas y las circunstancias sean buenas o malas, sino porque la alegría fluye desde tu Centro y desemboca en tus vehículos.

2. La alegría es un estado del ser en el que nadie ni nada pueden poner límite a tu amor y sentido de la unidad. Este es un momento de abstracción. El Centro del hombre es dicha. Al esforzarte en ser tu Verdadero Ser y acercarte a tu Verdadero Ser, liberas mayor dicha. Todo lo que buscamos en este mundo es dicha.

A medida que nos desapegamos de los problemas de los vehículos de nuestra personalidad trina y nos recogemos hacia los estados superiores de consciencia, sentimos mayor alegría y mayor dicha. La diferencia entre dicha y alegría es fácil de descubrir. La alegría es la dicha que se siente y experimenta solamente en los planos emocional y mental superiores. La dicha es experimentada sólo en la Tríada Espiritual y en los planos superiores.

En cualquier momento en el que el rayo de la dicha es atrapado o experimentado en los vehículos de la personalidad o en tu alma, tú sientes alegría. La vida exterior, las cosas, las personas y las circunstancias no te dan alegría, pero pueden evocarla o inducirla a salir desde tu Centro. Por ejemplo, la belleza, la bondad, la rectitud y la libertad pueden evocar alegría.

La dicha es como un rayo de luz que es parte de tu Verdadero Ser. Se derrama desde tu Ser, si se crean las condiciones apropiadas o si es evocado por las condiciones correctas. Pero una vez que la corriente de alegría es establecida, ninguna condición ni nada pueden detener su irradiación.

Los depositarios de la alegría consisten en nuestro Vigía Interior, el alma humana y la Tríada Espiritual. Si estos centros son contactados por nuestra consciencia, la corriente de alegría se pone en circulación y se incrementa. Cuando una persona se comunica con su alma, siente la alegría que existe en el corazón humano. Cuando contacta con su Vigía Interior, siente la alegría de los Grandes Seres. Cuando contacta con la Tríada

Espiritual, la alegría del Líder de este planeta se derrama en su corazón. Se nos dice que grandes regiones de alegría existen en el espacio… pero se hallan lejos de nuestro alcance en la actualidad.

Cuanto más seas tu Verdadero Ser, más alegría tendrás. Cuanto más seas controlado por los vehículos de tu personalidad trina y más te identifiques con ellos, menor alegría y mayor dolor tendrás.

La dicha se logra mediante la contemplación, el samadhi, el éxtasis y el recogimiento hacia los planos superiores de consciencia. Quienes aprenden meditación y eventualmente practican la contemplación, pueden tomar contacto gradualmente con las esferas de dicha y cargar sus vidas con una alegría profunda.

Hubo un Instructor que una vez entró en el samadhi –contemplación profunda– mientras sus discípulos estaban sentados alrededor de él. De repente, voló una flecha que le atravesó el hombro. Los discípulos no supieron qué hacer, pero pensaron que si él no había sido afectado, no deberían inducirle a recuperar la consciencia hasta que regresara por sí solo de su estado.

Luego de que el Instructor hubo regresado a su consciencia, indagó acerca de la flecha. «Maestro», le dijeron, «uno de tus enemigos te lanzó una flecha. Permítenos sacártela». Entonces, valiéndose de cierta clase de cirugía, quitaron la flecha de su brazo.

Cuanto más te alejas de tu cuerpo físico, menos lo sientes. Cuanto más profundizas en tu Ser, mayor es tu alegría, más inclusivo es tu amor, y tu mente opera en la visión de la unidad y síntesis. Cuanto más te alejas de tu Verdadero Ser, más separatista eres en tus pensamientos, emociones y acciones.

La alegría llega habitualmente a tu personalidad como una agradable descarga y desaparece. Pero si te das tiempo para experimentarla y le permites fluir tanto tiempo como te sea posible, puedes tener ocasión de observar qué hace la alegría por ti, para tus cuerpos y para tu entorno.

La gente bebe una copa de vino o desarrolla otras cosas agradables con tanta prisa que no las saborea ni las observa. También, hay muchos factores en ti y en tu entorno que están listos para apagar las brasas ardientes o echar agua fría en tu alegría y encapsularla en tu aura. Cientos de estas cápsulas están flotando en tu aura. Estas cápsulas contienen gran cantidad de energía jubilosa, que puede ser usada para elevarte, curarte, trabajar y servir abnegadamente.

Ves una flor y sientes alegría, y dices: «Es realmente bella». Y luego apartas tu rostro para hacer otra cosa. Pero si miras más tiempo y ves la forma de los pétalos y los colores de esa flor, si percibes su fragancia... puedes tener ocasión al mismo tiempo de experimentar el efecto de la alegría en ti.

Hay dos clases de observación: observación identificada con la personalidad y observación identificada con la corriente de la alegría. Tenemos mucha alegría en nuestra naturaleza, pero no la disfrutamos a causa de nuestra prisa. Cualquier alegría que no asimilemos o disfrutemos, cualquier alegría que es golpeada por ciertos pensamientos o atacada por el entorno o por ciertas personas, se cristaliza y se convierte en un bloqueo en nuestras auras. Cuando tales bloqueos se incrementan, eludimos todo lo que puede evocar alegría desde nuestro Centro.

La alegría debe ser una corriente activa, o una onda circulatoria en tu aura. Esa onda es causa de salud, felicidad, energía, optimismo y entusiasmo. Pero si la alegría es bloqueada y cristalizada, puede causar diversos problemas. Por ejemplo, la tristeza, el pesar y la depresión suelen ser el resultado de alegría bloqueada o aprisionada en tu sistema.

Conozco a una muchacha que cayó en una profunda depresión y apatía durante años cuando súbitamente su novio resultó muerto en Vietnam. Los psicólogos tienen muchos modos distintos de analizar tales hechos, pero en realidad, cuando la alegría se congela, suele congelar también el corazón y la consciencia. Por supuesto, hay medidas que tú puedes tomar para combatir esos momentos en los que «te quitan» la alegría.

Cuando estás alegre, aférrate a la alegría, saboréala, inhálala y trata de hacerla fluir hacia tu aura y en tus nervios por el poder de tu consciencia, como si estuvieras guiando la corriente de agua por las zanjas de tu huerto.

Vi cómo un hombre contemplaba la puesta del sol. Lo suyo era júbilo total. Estaba en un estado de veneración. Él era los rayos del sol. Él era la sinfonía de las formas de colores... Le vi permanecer inmóvil durante otra media hora, después de que hubo desaparecido el sol.

Vi uno de mis Instructores contemplando con lágrimas en los ojos un enorme árbol florecido.

Vi a un amigo mío en éxtasis mientras recitaban un poema.

En una ocasión, mi Madre perdió la consciencia durante una hora después de escuchar música de flauta.

Cuando experimentes alegría, trata de que continúe tu sentimiento por al menos durante unas cuantas horas, manteniéndote en la ola de la alegría. Un minuto de alegría puede encender en ti todas las luces y convertirte en una persona más exitosa, bella y atractiva, incluso durante muchos meses.

Hay algunas personas que comen como si fueran perros. No mastican los alimentos para nada, sino que los tragan muy de prisa. Si masticaran los alimentos tendrían la alegría de saborearla. Tendrían una oportunidad de asimilar los alimentos y utilizarlos para su bienestar.

Esto mismo ocurre con todo lo que queremos disfrutar. Tómate tu tiempo, no te apresures… El momento de alegría es un momento sagrado para la transformación.

3. La alegría es un estado del ser en el que tú energizas en tu entorno todo lo que es bello, bueno y justo. La alegría incrementa todo lo que es bello en la vida. La alegría alienta a las personas que están trabajando para transformar a la humanidad, o que están tratando de aliviar el dolor y el sufrimiento en el mundo.

Cada vez que estás en presencia de una persona alegre, sientes que se encienden los fuegos de tu creatividad. Sientes el fortalecimiento del poder de tu esfuerzo hacia la perfección. Sientes entusiasmo en tu labor y un propósito en tu vida. Todos estos dones llegan de lo alto, de la fuente de la alegría, por medio de la alegría. Pero si estás carente de alegría o amargado, con odio o colérico, fomentas la maldad, la criminalidad y el odio en los demás. Es muy interesante observar que las espinas de la vida no pueden sobrevivir en una atmósfera de verdadera alegría.

Cuanta más alegría das, más acrecientas la bondad, la creatividad y la nobleza en el mundo. La mayoría de criminales, los prisioneros y las personas dementes provienen de hogares que estaban llenos de pesar, irritación, ira, odio, codicia y vanidad. Sé alegre en la presencia o en la compañía de tu cónyuge e hijos, y acrecentarás en ellos sus posibilidades de triunfo y supervivencia.

La alegría hace que las personas te amen, pues tu alegría es el alimento de sus almas. Si a las personas las instruyes con alegría, ellas entenderán tu enseñanza, recordarán tu enseñanza, y tratarán de vivir de acuerdo con ella.

Cuando impones tu voluntad con odio, irritación e ira, haces que las personas te obedezcan por un tiempo, pero una vez que estén libres de tu presión, serán tus peores enemigos. Hasta tus hijos se rebelarán contra ti y, cuando menos lo esperes, te abandonarán.

La verdadera alegría fertiliza y nutre el jardín de tu corazón y el campo de trabajo de tu vida.

4. La alegría es el estado del ser en el que atraes las fuerzas de la inspiración, la abundancia, la armonía y la vitalidad. La alegría crea una química especial en tu aura y en tus cuerpos mental, astral y etérico, los que se hacen magnéticos a las corrientes de inspiraciones superiores provenientes de tu Alma, de tus Instructores o de fuentes o centros más elevados de sabiduría. Asimismo, esa atmósfera magnética te permite traducir correcta y creativamente las corrientes de inspiración.

Las fuerzas de la abundancia son aquellas fuerzas que hacen fluir las cosas en tu dirección. Una persona alegre ve cómo los libros, el dinero, la tierra y muchos otros objetos que ella necesita fluyen en su dirección, porque las fuerzas de la abundancia saben que esa persona los usará para el Bien Común y para servir a la humanidad.

La abundancia y la alegría se hallan estrechamente relacionadas entre sí. Una persona alegre disfruta las cosas que posee, pero para una persona sin alegría, todas sus posesiones son como su prisión. Son las fuentes de su desdicha o –lo que es peor de todo– la causa de su destrucción espiritual y moral.

La alegría atrae a las fuerzas de la armonía. La gente coopera voluntariamente con una persona alegre. Las fuerzas de la armonía le traen no sólo un cuerpo sano sino también emociones armoniosas, pensamientos armoniosos, planes armoniosos y metas también... Ellas crean condiciones en las que su vida se halla en armonía con el ritmo de su Alma, de su nación y de la humanidad. Una persona alegre nunca piensa, siente, habla o actúa de un modo que no es armonioso con las aspiraciones supremas de la humanidad.

La alegría despierta en ti un sentido que estaba enterrado, cuyo eco es la habilidad de tus oídos para reconocer la armonía en el sonido. Pero cuando este sentido enterrado es despertado, encajas en la sinfonía de la vida y vives una vida de armonía.

La alegría trae vitalidad no sólo a tu cuerpo sino también a tus pensamientos, emociones, acciones y expresiones. Te colmas de vitalidad y te conviertes en una fuente de vitalidad en tu entorno. Transmites energías que nutren, elevan, curan o fortalecen a las personas que te rodean. Hasta los árboles, arbustos, flores y animales sienten y disfrutan tu vitalidad. La alegría es la fuente de la vitalidad y la causa principal de la fortaleza de tu sistema inmunológico.

5. La alegría es un estado del ser en el que expandes tu consciencia hacia los reinos superiores e inferiores, y estableces con ellos comunicaciones constructivas y creadores. Tu consciencia no puede expandirse en un estado mental sombrío. Es posible para una persona acumular conocimientos, aprender fórmulas o construir planes mientras su consciencia sigue siendo la misma.

Hay una gran diferencia entre la consciencia y la mente. La mente puede crecer a expensas de la consciencia, y usar todas sus herramientas contra su propia supervivencia. Cuando la consciencia se expande, una persona puede pensar desde la causa al efecto y del efecto a la causa. Piensa inclusivamente, desde todos los puntos de vista posibles, teniendo en su mente lo bueno de todo.

La mente puede convertirse en un instrumento separatista, el cual trabaja en favor de un grupo, pero en contra de otro grupo. La consciencia no trabaja a favor de intereses separatistas. Una consciencia en expansión no permite que la mente trabaje en favor de un reino y descuide el resto. La consciencia expandida sabe que todos los diversos reinos son parte de una gran totalidad. No moviliza a un grupo contra otro.

Una persona con una consciencia expandida tiene un campo de acción que está arriba y abajo, abajo y arriba, como partes de una sola realidad. Su relación con los reinos superiores es tan creativa como su relación con los reinos inferiores. Su creatividad es una labor para crear relaciones más armoniosas entre ellos y para abrir posibilidades para que las vidas de los reinos inferiores avancen hacia los reinos superiores.

6. La alegría es un estado del ser en el que no existe ningún sentimiento separatista, ningún pensamiento que crea divisiones, y ninguna consciencia de soledad. La verdadera alegría aniquila todo separatismo, divisionismo y soledad. El separatismo es el resultado de un alma desdichada. Una persona desdichada y sin alegría vive lejos de su propio Centro, el cual es el punto central de unidad y de síntesis. Estando lejos de su Hogar, vaga por los valles de la soledad, de las divisiones y del separatismo. Piensa, habla y trabaja para sus intereses separatistas. Con el fin de mantener vivos sus intereses separatistas, crea divisiones en aquellos que están en contra de sus intereses. Eventualmente las personas reconocen sus motivos, aprenden sus trucos y ven sus planes — y se apartan lentamente de su presencia y la dejan sola para que continúe adorándose a sí misma a costa de los demás.

Una persona solitaria y sin alegría eventualmente pierde todo lo que ha acumulado y vive una vida miserable. Una persona alegre irradia fuerzas de unidad y jamás se siente sola. Nunca comete el crimen de crear divisiones; nunca separa a la gente. Tiene muchos amigos que están dispuestos a dar su vida por ella, porque sienten que la alegría es el verdadero mensaje de unicidad, unidad y síntesis. Sientes todo esto en un momento de alegría cuando tu ser se eleva, pero en el instante siguiente las nubes de tus dudas, intereses personales, codicia y celos cubren los rayos de tu alegría y vuelves a caer en la oscuridad de tus hábitos, prejuicios, supersticiones y vanidades.

7. **La alegría es un estado del ser en el que sientes que eres uno con el Ser Único que se manifiesta en todas las variadas formas de vida en el Universo.** Sientes que tus poderes creadores de ningún modo se hallan limitados, sino que son capaces de hacerte alcanzar las estrellas.

La alegría te hace sentir que eres el Universo, que eres parte de la Energía Creadora Omnipotente. En la alegría, sientes que no estás limitado en la etapa actual de tus logros, sino que eres capaz de desenvolverte, expandirte y alcanzar la perfección «como es perfecto tu Padre en los Cielos».

El sendero que conduce al hombre hacia Dios es el sendero de la alegría. Es debido a la presencia de alegría infinita en sus corazones que todos los mártires de la humanidad sacrificaron consciente y voluntariamente sus vidas para ayudar a la humanidad, mientras que quienes fueron «ardillas humanas», se ocuparon de comer las raíces del árbol de la humanidad.

8. **La alegría es el estado del ser en el que desarrollas paciencia, perseverancia, resistencia e inmutabilidad de espíritu.** Donde hay verdadera alegría no habrá fluctuaciones.

La paciencia no puede perdurar sin alegría. La paciencia sin alegría incendia todos tus centros y crea irritación. La alegría es paciente.

La perseverancia es el resultado de la alegría. La alegría mantiene a tu espíritu vital y despeja tu senda. La perseverancia con alegría es una fogata en un día frío en medio del desierto. La perseverancia con alegría es una flecha volando hacia el blanco. La perseverancia con alegría es un proceso de transformación de ti mismo a la imagen que sostienes en tu visión.

La resistencia es dolor y sufrimiento si no es inspirada por la alegría. La alegría hace que soportes rigores y circunstancias retadoras. La alegría te prueba que tú puedes hacer y que puedes ser. La alegría galvaniza tus vehículos en tal grado que pueden resistir cualquier ataque y soportar trabajo y presión hasta que alcances tu meta.

La alegría te permite saborear lo que es inmutable. El Ser Inmutable es la dicha dentro de ti. En los momentos alegres, experimentas atemporalidad, ausencia de espacio e inmutabilidad. Tal vez se trate de un solo segundo de alegría; pero ¡cuánta gloria es contenida en ese momento de alegría si tus ojos y oídos fueron lo suficientemente rápidos como para registrar la riqueza y la magnitud de la belleza contenidas en dicho momento!

Las fluctuaciones son las señales de una persona desdichada. Aquellos que no han tocado aún el fuego de la alegría son personas desdichadas. Una persona desdichada no tiene dirección. Cada vez que cambia de dirección, piensa que ese nuevo rumbo no es el que él quiere seguir. No sólo cambia de dirección y meta, sino que, pero aún, fluctúa entre ellas.

Por otra parte, en lo que atañe a una persona alegre, cualquier dirección que conduzca hacia la Belleza, la Bondad, la Rectitud, la Alegría y la Libertad es parte de la misma dirección única pues la alegría hace que todas las diferentes direcciones conduzcan hacia la Fuente de la Alegría.

9. La alegría es un estado del ser en el que desarrollas un creciente sentido de responsabilidad, un sentido de rectitud y un sentido de involucramiento práctico en la vida en general. El sentido de responsabilidad se convierte en pesada carga sobre tu espalda y una fuente de resentimiento si no es el resultado de verdadera alegría. La alegría trae a la existencia el sentido de responsabilidad. La alegría lo desarrolla y lo convierte en instrumento de gran servicio.

El sentido de rectitud es el fruto de la alegría. La rectitud sin alegría se convierte en terror, y eventualmente crea un tirano, una persona rígida que utiliza su poder de rectitud para destruir a la gente antes de que puedan crecer y florecer. El sentido de rectitud es un sentido muy avanzado que hace que una persona vea cómo la semilla está a punto de crecer y florecer.

La rectitud es la habilidad para mantener la flor en la mente y animar a la semilla a que alcance la perfección. Sólo en la alegría es que la rectitud es comprendida.

La alegría no te lleva a desiertos, sino que te hace trabajar y vivir en un mundo de problemas, dificultades y peligros. Hace que te comprometas con el trabajo que está teniendo lugar para la redención de la humanidad. La alegría te impulsa a cumplir con tu deber y te hace trabajar en donde sea posible para distribuir alegría, tal como repartirías alimentos a los hambrientos y agua a los sedientos.

10. La alegría es un estado del ser en el que tu Tesorería abre Sus puertas, y los talentos ocultos, los recuerdos preciosos y la sabiduría y los logros del pasado fluyen hacia tu mente consciente. La alegría se libera gradualmente, y abre lentamente las puertas de tu Tesorería, tu Cáliz. De tu Tesorería se derraman los talentos que desarrollaste y después atesoraste a fin de desarrollar otros talentos. De tu Tesorería se derraman recuerdos preciosos que puedes usar ahora para construir tus mansiones de luz. De tu Tesorería se derrama la sabiduría del pasado que ahora se pone a tu alcance para la labor en la que estás comprometido. Así es como te encuentras rodeado por los tesoros de tu pasado, y con ellos sirves en áreas mayores y más elevadas, con el mismo propósito benevolente.

Si puedes mantenerte alegre por largo tiempo, podrás ver cómo muchas joyas perdidas en vidas pasadas caen frente a tus pies en los momentos de gran necesidad. La vida acumula todos tus diamantes a fin de devolvértelos en los momentos en que puedas usarlos constructivamente, no para tu interés personal sino para el bien de todos los seres vivientes. La alegría es la llave de muchos mayores tesoros.

11. La alegría es un estado del ser en el que tu naturaleza física, emocional y mental pasa por un proceso de integración y alineación. La alegría es el «fluido comunicante» entre las partes del «motor» único. A través de la alegría, tu naturaleza física, emocional y mental, trabajan como una unidad. Luego este dispositivo se alinea con la unidad de consciencia, el alma humana. Así, a medida que la integración y la alineación continúan, gran cantidad de alegría es registrada y utilizada.

Los seres humanos integrados y alineados nunca tratan de causar dolor y sufrimiento a otras personas. Quienes hieren a los demás no necesitan sermoneos ni sesiones de psicoanálisis, sino integración y alineación por medio de la alegría.

A la alegría no se la considera un factor curativo en los tratamientos psicológicos y psiquiátricos en la actualidad, pero pronto será aceptada y las potencialidades de la alegría se usarán para eliminar los males de la humanidad. Esta no es una profecía fatalista sino una profecía de alegría.

12. La alegría es un estado del ser en el que todas las corrientes malignas en ti se detienen, todos los ataques de las fuerzas de la oscuridad son repelidos, se construye un escudo alrededor de ti, y el Vigía que hay en ti está alerta. Dejo esta definición en manos del lector para que la trabaje de la mejor manera que pueda.

Todos tenemos muchos momentos de alegría en nuestras vidas, pero han sido enterrados por el dolor y el sufrimiento. Debemos tratar de llegar hasta ellos, encontrarlos y traerlos a la superficie. No hay alegrías grandes y pequeñas; todas las alegrías son la misma alegría, pero la intensidad de sentimiento y la profundidad del registro difieren.

Varios Aspectos de la alegría:

1. Ojos y rostro resplandecientes.
2. Agudeza mental.
3. Suma atención y sensibilidad.
4. Vitalidad.
5. Puntualidad.
6. Salud.

La energía de la alegría es:

- Regeneradora.
- Purificadora.
- Dispersora.
- Expansiva.
- Conectora.
- Desenvolvente.
- Armonizadora.

La alegría es la energía de la transmutación, la transformación y la transfiguración.

2

EJERCICIOS SOBRE LA ALEGRÍA

Como fundamento para los siguientes ejercicios, recordemos que cualquier expresión verdadera de alegría que fue encerrada en nuestras auras en el pasado, puede ser liberada a través de tales ejercicios y la corriente de energía de alegría puede utilizarse para elevarnos, para crear integración, alineación y armonía, e incluso para eliminar muchas perturbaciones de nuestra naturaleza.

Muchas personas que han probado estos ejercicios me han escrito para decirme que se sienten como nuevas personas. Mi deseo es que algunos psicólogos y psiquiatras tomen interés en estos ejercicios y los usen para beneficio de quienes tocan a sus puertas pidiendo ayuda.

Ejercicio Nº 1

Fase 1

Cierra los ojos. Relájate.

Trata de recordar una alegría que experimentaste en la primera parte de tu vida. Regresa mentalmente y trata de encontrar un momento de alegría en la etapa más temprana posible de tu vida. En esta etapa, limítate a recordar esa experiencia.

Intenta recordar dónde ocurrió, cuándo ocurrió y cómo ocurrió. Recuerda el tiempo en el que ocurrió y cuál era el clima de ese día. Recuerda el ambiente en el que te encontrabas cuando ocurrió, cómo estabas vestido y cuál era tu aspecto. Procura recordar quiénes estaban contigo en ese momento.

Esta fase es muy importante. Avanza muy lentamente hasta que todo esté claro en tu memoria.

Después de hacer esto apropiadamente, trata de volver a experimentar tu alegría, como si estuviera sucediendo en este mismo momento. Trata de sentir la alegría en todo tu ser.

Haz esto por lo menos tres veces, hasta que tu recuerdo sea claro y tu experiencia de alegría sea real. No escuches a tu mente analítica. No escuches a tus otros recuerdos. Sólo disfruta la alegría y siéntela como la siente un niño.

Es posible que llores. Deja correr tus lágrimas, pero continúa experimentando tu alegría como la experimentaste en el pasado. Sé de la edad que tenías cuando experimentaste esa alegría.

Fase II

Ahora trata de experimentar nuevamente tu alegría, pero en esta ocasión deja que tu ser del pasado disfrute la experiencia y, entretanto, observa qué le sucede a la persona que está volviendo a sentir su alegría pasada. Observa qué le está sucediendo a su mente, a sus emociones y a su cuerpo. Observa el efecto de su alegría en los demás y en el entorno.

Avanza muy lentamente y procura ser claro en tu observación. Deja que esto dure desde media hora a dos horas. Si te sientes cómodo y tienes tiempo, puedes hacerlo durante dos horas por día.

Reglas a seguir:

1. Pide permiso a tu psiquiatra o médico antes de hacer este ejercicio.

2. No hagas este ejercicio dentro de las dos horas de haber comido.

3. No hagas este ejercicio después de las diez de la noche.

4. No hagas este ejercicio dentro de las seis horas de haber tenido relaciones sexuales.

5. No hagas este ejercicio si estás cansado o agotado. Primero descansa.

6. No te apresures en re-experimentar tu alegría pasada.

7. Puedes trabajar con una experiencia tres veces, en tres ocasiones distintas en una semana. Luego recuerda otra experiencia de alegría y repite el ejercicio. Después de cada ejercicio, termina tu sesión visualizando una luz blanca que rodea tu cuerpo y penetra en cada parte de tu cuerpo. Esto puede ahondar tu calma y serenidad.

8. Al final de tu sesión, aguarda siempre unos pocos minutos antes de abrir los ojos. Durante estos pocos minutos, toca tu cuerpo y recuerda dónde estás. Intenta oír algunos ruidos del exterior. Entonces abre los ojos.

9. Luego de que repases siete experiencias, tómate un descanso de quince días y procura estar tan alegre como puedas en tu vida diaria.

10. Los ejercicios con los que re-experimentes la alegría deben durar seis meses. Luego puedes iniciar un nuevo ejercicio durante otros seis meses. El nuevo ejercicio debe efectuarse siguiendo exactamente las mismas reglas.

También es muy importante que no compares tu pasado con tu presente. Por ejemplo, si estás experimentando una alegría por ver a tu profesor y experimentar su presencia como cuando tenías diez años de edad, trata realmente de disfrutar ese momento. No dejes que tu mente se desvíe y te diga que el profesor ya ha muerto en un accidente o que lo perdiste cuando te marchaste a otro país… Si estás disfrutando una flor, disfrútala con todo tu ser y no dejes que tu mente, por asociación, te entregue un mensaje de un recuerdo en el que ofreciste la misma flor a alguien que te rechazó. La total absorción en tus experiencias alegres es imperativa si quieres liberar la energía de alegría acumulada hacia tu sistema.

También es posible que tu alegría sea abrumadora e inunde tu sistema, pero luego de repente un pensamiento llega y te dice: «Esto sucedió en el pasado, y no puedes volver a tener esa alegría en tu vida». Niégate a prestar oído a ese pensamiento fusionándote gradualmente con mayor profundidad en tu experiencia. Recuerda que no hay limitaciones para un alma libre y que la alegría puede ser experimentada con una calidad y una profundidad progresivamente mayores.

Recuerda que una experiencia alegre es un proceso en el que depositas dinero en tu cuenta de ahorros. Tus mayores logros futuros serán el resultado de la alegría acumulada que tú saques del banco y uses para lograr tus sueños. Estos ejercicios son los pasos para acudir al banco y liberar tu dinero, con intereses.

Los antiguos solían llamar a la Tesorería de una persona un pozo en el que dejas caer tu alegría y ésta desaparece de tu vista. Esta alegría debe ser extraída y usada. Cuando realices este ejercicio del modo correcto, empezarás a ser testigo de todas las bendiciones mencionadas en las páginas anteriores.

Recuerda también que la alegría puede ser experimentada física, emocional, mental y espiritualmente. La alegría debe sentirse física, emocional, mental y espiritualmente. Primero tendrás dificultad en discernir cuáles son los niveles del sentimiento de alegría, pero gradualmente verás que hay diferencias entre las alegrías experimentadas en diversos niveles.

Solemos pensar en la alegría como si ésta fuera un sentimiento. En realidad, la alegría es una sustancia, una sustancia eléctrica e ígnea, que podrá ser medida en el futuro, cuando encontremos tiempo para sobrepasar nuestras necedades. La alegría fluye a través de los canales nerviosos, los músculos, huesos y corriente sanguínea, como la electricidad fluye a través de los cables. La alegría da luz, calor y frescura, y pone en acción grandes planes, así como la electricidad produce luz, calor, y pone en movimiento fábricas poderosas. Pero debemos desarrollar una observación pura para ver o sentir la sustancia de la alegría.

En tus ejercicios, recuerda que la alegría es una sustancia, una corriente ígnea de energía... Y recuerda que ella se irradia desde tu propio Centro.

Cierto día un muchacho vino a mi oficina con lágrimas en los ojos y me dijo: «Por favor, ayúdeme. Es muy vergonzoso para mí y para mi familia cuando la policía me detiene porque estoy ebrio o drogado. Realmente quiero renunciar al alcohol, a la marihuana y a otras drogas, pero no tengo fuerza de voluntad...».

Le aconsejé que acudiera a profesionales en busca de auxilio, pero él continuó volviendo a mí una y otra vez, diciéndome: «¡Sé que usted puede curarme!». Después de observarle y pensar en él, de pronto me di cuenta que él estaba tratando de hallar alegría en su vida. Él pensaba que las drogas, la marihuana y el alcohol podían conducirle hacia la alegría. La alegría era su motivación oculta, su meta oculta.

Inmediatamente le llamé y le dije que podía ayudarle si venía a verme dos horas diarias durante siete días. Estuvo de acuerdo en venir. Lo que yo hice fue sencillo. Le hacía tomar asiento, relajarse, retornar con la imaginación a su niñez y empezar encontrar situaciones o experiencias de alegría. Le hice experimentar estas alegrías una y otra vez, hasta que todos los sucesos fueran claros, completos y reales en su consciencia.

Luego de haber desarrollado los ejercicios durante diez días, el cambio empezó a aparecer en el muchacho. Estuvo libre del control de sus vicios e irradió alegría y paz. Nunca le he vuelto a ver consumiendo ninguna droga, marihuana ni alcohol. En una ocasión le pregunté cómo se sentía, y me contestó: «Yo estaba buscando mi alegría en los lugares equivocados, pero ahora la he encontrado. No necesito cosas artificiales para sentirme feliz. ¡Ya soy feliz!».

Cuando la mayoría de las personas encuentra en su corazón la verdadera alegría, renuncia a todas las cosas artificiales que la hacen desdichada. La gente aspira a la dicha, a la alegría y a ser uno con su Ser. Encontrar las experiencias de alegría y traerlas a la superficie de su actual nivel de consciencia le dará a las personas suficiente alegría y suficiente fuerza para que no sea atrapada por métodos artificiales.

Trata de dar alegría y salvarás a la gente. Cristo dijo: «Os doy mi alegría».

La mayoría de las personas usa drogas y cae en diversos vicios porque son infelices, porque están desilusionadas de sus padres, porque su visión y su esfuerzo están destruidos, o porque no ven para sí futuro alguno ni esperanza. La alegría llenará el vacío de sus corazones. Le hará experimentar de nuevo sus alegrías pasadas y experimentar la alegría de los demás. Le hará crear momentos alegres en su vida…

El uso de la alegría debe ser practicado diariamente. Sé alegre, y luego traslada la corriente de alegría a tus hijos cada mañana y cada noche. Traslada la corriente de tu alegría a las comidas que preparas, a los objetos que usas, a la ropa que vistes, al agua que bebes, a la oficina, a los demás… Deja que la alegría circule en todas las cosas que toques.

Antes de leer tus lecciones, siente alegría. Antes de abrir tu puerta para salir por la mañana, siente alegría. Antes de encender el motor de tu auto, siente alegría. No empieces ni termines nada sin primeramente sentir alegría. Las personas alegres son las portadoras y distribuidoras del espíritu del Dios.

La gente pregunta si uno puede traer consigo alegría de vidas pasadas. En realidad, no hay vidas previas o futuras; solamente hay una vida y una Mónada, viviendo una vida. Para el que vive, no hay tiempo ni locación; hay solamente un rayo de luz con muchas cuentas[1] en él.

La alegría es el rayo de luz que da vida y belleza a cada cuenta. Así como el rayo de luz es una unidad, de igual modo lo son las cuentas, separadas en el tiempo, pero una sola en esencia, pues cada cuenta futura es el resultado de la cuenta anterior. La condición futura de cada cuenta es el resultado de la relación que existe entre la luz del rayo y la cuenta.

La alegría es un contacto entre las cuentas y el rayo de luz. Cuanto más profundo es el contacto, mayor es la alegría. Estos ejercicios son un esfuerzo por mantener la alegría fluyendo hacia las cuentas y, hacer por lo tanto que las cuentas se hallen en mayor armonía con el rayo viviente. En este momento, la consciencia del hombre está identificada con las cuentas. Por esta razón hay muchas cuentas para él. A medida que identifica su consciencia con el rayo de luz, se dará cuenta que sólo hay una vida vivida en muchas cuentas, y que eso es él.

La alegría puede ser usada en fábricas, en grandes corporaciones y en varias asociaciones para incrementar los potenciales de empleados u obreros. La alegría puede usarse en instituciones del gobierno o en partidos políticos para expandir sus horizontes, ajustar su sentido de valores y profundizar su visión interior y su previsión. La alegría puede ser utilizada por los médicos, los cirujanos e incluso los psiquiatras.

Conocí un cardiocirujano que empezó a desarrollar una actitud muy negativa hacia su esposa y sus hijos. Un día me

1. El autor hace referencia a las cuentas de un collar o un rosario (*N. del T.*).

dijo que estaba teniendo dificultades con la dirección del hospital y temía que los problemas se acumularan sobre él. Cuando terminó de hablar, le propuse que iniciara conmigo unos ejercicios. Su primera pregunta fue si los ejercicios eran válidos, si habían sido aprobados por los profesionales de la medicina o Ph.D.s[2]. Le dije que él era el único que necesitaba aprobar los ejercicios, después de ver los resultados.

Pospuso su trabajo conmigo… pero cuando vio después que su condición en el hospital y en su hogar empeoraba cada vez más, vino a mi hogar y me dijo: «Haga esos malditos ejercicios, si es que puede ayudarme».

Pasamos la primera sesión haciendo que él aprendiera a sonreír, y le expliqué el misterio de la sonrisa. Al final de la sesión, él estaba muy feliz.

Trabajé con este hombre durante seis meses. No sólo recuperó su prestigio, sino que también le ascendieron en la administración del hospital y se convirtió en quien muchas personas acudían en procura de ayuda. En una ocasión, su esposa me dijo: «No sé qué me sucedió. Estaba planeando divorciarme, pero ahora me he enamorado de él nuevamente».

Nuestras condiciones sociales pueden cambiar por completo si preparamos los campos de la alegría y plantamos en ellos semillas de alegría, en lugar de atacarnos y amenazarnos unos a otros, imponiendo nuestra autoridad y cultivando el temor y la hipocresía.

Ejercicio Nº 2

Este ejercicio es diferente del anterior. En este ejercicio, en lugar de recordar tu propia alegría y volver a experimentarla, vas a recordar un acontecimiento en que presenciaste cuando

2. Philosophy Doctors – profesionales con doctorados (*N. del T.*).

otra persona estaba realmente alegre, y vas a tratar de sentir, entender y volver a experimentar su alegría. No te olvides de las reglas que te di para el primer ejercicio.

Para empezar, recuerda la ocasión. Ve a la persona como era. Mírate a ti mismo como eras, y rememora la época, el clima, quiénes participaron y quién estaba realmente alegre.

Antes que nada, procura observar cómo esa persona estaba alegre en lo físico, lo emocional y lo mental. Recuerda en detalle su comportamiento, su voz y sus palabras.

Después de haber hecho esto varias veces en una sesión, procura compartir la alegría de esa persona. No seas ella, sino más bien comparte su alegría. Cuando seas realmente capaz de compartir muchas veces su alegría, cada vez con mayores detalles desde tus recuerdos, trata de observar cómo su alegría se transfirió a ti y por qué.

Practica este ejercicio durante seis meses, tres veces por semana. Cada semana, intenta encontrar una nueva persona que estaba alegre por diversas razones, y comparte su alegría.

Ejercicio Nº 3

Primera Parte

El tercer ejercicio es el reverso del segundo. Recuerda un acontecimiento en el que una persona compartió tu alegría. Haz esto tantas veces como lo desees, y después trata de observar cómo y por qué esa persona sintió y experimentó profundamente tu alegría. Repite todo este ejercicio durante seis meses.

Recuerda que liberar alegría es más precioso que cualquier cosa que hagas en el mundo porque la alegría condicionará tu éxito, tu salud y tus correctas relaciones con los demás; iluminará tu intelecto, fortalecerá tu corazón y destruirá los ataques de la oscuridad.

Segunda Parte

Los ejercicios sobre la alegría pueden desarrollarse con más extensión para mayor provecho tuyo y de aquellas personas con las que estás relacionado. Por ejemplo, después de haber liberado dentro de tu memoria tantas cápsulas de alegría como te sea posible, puedes relajarte y visualizar un evento en el futuro que te da una extraordinaria dosis de alegría. Esto no debería ser algo que desees o esperes que suceda, sino un acontecimiento que tú ves que se está produciendo exactamente como tú lo imaginas.

Piensa qué es lo que puede hacerte realmente feliz. Empieza con un evento visualizado. Usa tu imaginación creadora y, durante tres sesiones, trata de hacer esto cada vez con más detalles, encontrando una alegría más profunda y valiosa. Puedes empezar con cosas físicas o materiales y, luego proseguir con eventos emocionales, luego con eventos mentales finalmente, eventos espirituales. Puedes trascender el tiempo y el espacio a través de tu imaginación creadora, viajar por el espacio hasta las estrellas e imaginar allá una vida nueva o nuevos acontecimientos.

Observa cómo tu imaginación creadora puede trascender todos los conceptos familiares y los estereotipos de la vida. Pues crear una vida en las dimensiones superiores, diferente a la que existe en este planeta.

No pongas ninguna limitación al crear eventos de alegría a través de tu visualización. Trata de disfrutarlos en todos tus vehículos, en el nivel más profundo que puedas.

Haz esto durante seis meses, y registra los resultados y efectos sobre tu vida y sobre la vida de los demás.

La imaginación creadora puede preparar tu alma para que des pasos gigantescos en el futuro, construyendo una especie de escalera en la senda de las realizaciones venideras a través de estos ejercicios. Cuanto más ocupados estén tus pensamientos con imágenes de alegría, mayor será tu esfuerzo hacia el futuro.

Los ejercicios sobre la alegría no terminan nunca, ni deberían terminar nunca.

Tercera Parte

1. Recuerda aquellas alegrías que sin proponértelo causaste a los demás. Trabájalas en detalle.
2. Recuerda las alegrías que otras personas te causaron sin habérselo propuesto. Recuérdalas en detalle.
3. Recuerda los momentos de alegría que recibiste de la Naturaleza. Vuelve a experimentar estas clases de alegría una y otra vez — la alegría que recibiste de las flores, campos, praderas, ríos, cascadas, bosques, ciertos árboles, arco iris, atardeceres, amaneceres, pájaros... Tienes miles de esas alegrías. Libéralas y energiza toda tu naturaleza con alegría. Trata de vivir en alegría.

Cuando realices los ejercicios indicados arriba, trata de recordar los eventos específicos en detalle, si es posible. No saltes de un hecho a otro. Tómate tu tiempo.

En una ocasión, probé estos ejercicios en la escuela con mis alumnos, y los resultados fueron abrumadores. Las notas de los estudiantes, así como las relaciones entre ellos, mejoraron tremendamente. Toda la escuela mejoró como si hubiera ocurrido un milagro. Trabajé especialmente con niños problemáticos, y su ira, remordimiento, odio y dureza gradualmente desaparecieron.

La alegría es un milagro; crea cambios milagrosos dentro de nuestra psiquis. Los grandes benefactores de la humanidad son aquellos que crean condiciones en las que las personas disfrutan más el milagro de la vida.

No le creas a aquellos que, en nombre de la prosperidad, la salud y la felicidad futuras, esparcen aflicción, pesar, dolor, limitaciones y esclavitud. Ellos son personas aberrantes y necesitan curarse con alegría.

«La alegría es una sabiduría especial», dijo una vez un Gran Sabio. A través de la alegría puedes resolver problemas. No necesitas castigar a las personas. Hazles entender por qué estaban equivocados a través de ejercicios de alegría, y ellos recolectarán sabiduría. Castigar a las personas crea más miseria de la que puedes imaginar. No debemos tratar de resolver los problemas por medio de guerras. Eso no ha funcionado hasta hoy, y nunca funcionará. Los problemas del mundo deben resolverse instruyendo a los líderes del mundo con alegría.

Nadie debe ser ascendido a un alto cargo si carece de alegría. La alegría es más importante que el cociente intelectual de una persona. Personas tristes, negativas y pesimistas, personas que se sienten felices explotando a los demás, personas que se sienten felices viendo lágrimas en los ojos de los demás, no pueden ser líderes. Los líderes deben ser entrenados desde la niñez, y deben transformarse en la corriente de alegría. Entonces tendremos grandes líderes que podrán resolver los problemas y conducir a la humanidad hacia la era de felicidad, alegría y dicha.

La infelicidad es una enfermedad contagiosa. Aquellos que caen en la desdicha son aquellos que quebrantaron las leyes de amor, unidad y servicio. Debemos tratar de curar con la medicina de la alegría. Esto llevará tiempo, pero eventualmente lo lograremos.

Recuerda que la hilaridad no tiene nada que ver con la alegría. La hilaridad es una enfermedad. «La búsqueda de la felicidad» debe comprenderse correctamente. La búsqueda de la felicidad no es un proceso que consista en ser feliz a costa de los demás. La búsqueda de la felicidad es una manera inteligente de vivir para traer felicidad a toda la humanidad, los animales, las plantas, los pájaros y a toda la Naturaleza.

La búsqueda de la felicidad no es una licencia para el sexo, las drogas, los crímenes y la explotación. La búsqueda de la felicidad es un proceso de vida sana, aspiración sana y pensamiento claro. Es una vida vivida en «inofensividad, olvido de uno mismo y palabra recta».

Buscar la felicidad es buscar la libertad — libertad de las carencias, libertad del temor, libertad de la religión, libertad en la palabra recta. No hay felicidad a menos que la esencia humana sea capaz de estar libre de todas las condiciones que le impiden ser bello, estar lleno de bondad, ser recto y sentirse alegre.

Para revertir la ola del flujo contemporáneo de negatividad, imposición, explotación, codicia y totalitarismo, los cuales son las fuentes de la desdicha humana, debemos reconstruir nuestra psicología y empezar a ser como niños pequeños que pueden resolver problemas muy complicados al entregarse a las alas de la alegría. Un niño es, por lo general, un alma dadivosa — un alma que perdona, alegre, servicial y optimista.

Cierta vez vi a un niño que me hizo comprender lo que es realmente un niño. Él tenía cinco o seis años de edad. Estaba a punto de comer su cena, la que su madre le había traído en un plato. Tomó el plato y se sentó con él en el suelo. Cuando empezó a comer, su perrito vino y comenzó a engullir lo que había en el plato. El niño gritaba de alegría cada vez que el perro tragaba la comida. Él estaba en gran éxtasis, viendo cómo su perro se comía la cena mientras meneaba la cola de derecha a izquierda.

Varias veces la madre del niño quiso apartar al perro, pero yo le dije al oído que se limitara a observar y compartir la alegría de su hijo. A medida que ella fue observando, una gran sonrisa y la alegría cubrieron su rostro. Una vez que el perro terminó el plato y quiso lamer la cara del niño, como si deseara expresarle su gratitud, la madre se apresuró a alzar al niño con gran alegría y amor, y empezó a bailar con él.

Después, ella me dijo: «Jamás sentí una alegría como ésta hacia él. Yo ni siquiera sabía que él tenía semejante alegría en su corazón».

Él era un niño y si su madre le hubiera atacado, ella habría perdido su alegría y habría llevado al niño a pensamientos y sentimientos confusos. El perro, al que el niño amaba, se estaba comiendo su comida — y ése fue un momento de alegría para él.

Las personas son víctimas de su propia programación. Esta programación debe ser cambiada mediante el desarrollo de una nueva psicología hacia la vida. Debemos desarrollar la psicología de la alegría. Debemos desarrollar la habilidad de disfrutar la vida y todo lo que la Madre Naturaleza tiene para nosotros. Los adultos nunca entenderemos la psicología de un niño, porque estamos complicados con nuestros intereses y programaciones egoístas. Aquellos que no pueden ser niños pierden la alegría de la vida.

La gente, especialmente aquellos que se creen educados, están viviendo como viejos agobiados por pesadas cargas, auto-fabricadas y auto-perpetuadas. Tales personas «sabias» han llevado al mundo al borde de las Cataratas del Niágara. Sólo un regreso a la psicología del niño nos ayudará a evitar el desastre total.

La característica más importante de un niño es la alegría. La vida es alegría para él; una piedrecilla, una ramita o un regalito le llenan de alegría.

La segunda característica de un niño es la gratitud. Los psicólogos de niños perdieron de vista este punto. La persona más agradecida del mundo es un niño. Él muestra su gratitud en su alegría. Pero recuerda que millones de niños se hallan psicológicamente famélicos debido a la ambición y a la psicología dolorosa del mundo.

Una vez estuve de visita en un «hogar de ancianos». Personas de setenta y cinco, ochenta, y ochenta y cinco años de edad estaban sentadas como momias, aguardando al «Extraño» para que se los llevara. Había una pesada tristeza en esa casa. Hablé con algunos de ellos. Me dijeron que querían morir cuanto antes. Me paré en el centro de la sala y les dije: «Vine a enseñarles un baile de niños. Levántense todos, tómense de las manos y les diré qué tienen que hacer».

Les enseñe los pasos del baile y la música, y luego empezamos a bailar. Bailaron la danza cinco veces. Estaban llenos de lágrimas de alegría. Al marcharme, me pidieron que regresara y que volviera a bailar con ellos. Tiempo después, una de las enfermeras me dijo: «Se divirtieron mucho, y finalmente querían vivir y disfrutar la vida».

La alegría puede darse gratuitamente y, a medida que das alegría, acrecientas la tuya propia. «Si no os hiciereis como niños, no entraréis en el Reino de Dios...». Las personas se hacen adultos con sus cuerpos y cerebros, y entonces construyen todo lo necesario para destruir este planeta. Estas personas no son personas promedio sino las adultas.

Algunas personas son incapaces de recordar hechos alegres anteriores a determinada edad. Esto significa que tienen ciertas barreras psicológicas. Las barreras psicológicas son aquellos momentos en los que tuvimos un choque emocional negativo, fuimos dolorosamente rechazados o ignorados, o nos atacaron con violencia en el momento en que experimentábamos alegría. En ciertas ocasiones, las sugestiones post-hipnóticas actúan como barreras frente a nuestros recuerdos. Pero todas estas cosas pueden ser superadas si incrementamos la corriente de alegría, la cual puede borrarlas — lentamente o de golpe.

En vez de trabajar sobre tus recuerdos dolorosos, puedes aumentar tu flujo de alegría en tal grado que tu alegría liberada, como agua corriente, limpie todos los obstáculos en tu sistema. El recuerdo puede ser restablecido no sólo para una vida sino también para muchas vidas, si los obstáculos son removidos. En general, los obstáculos son muertes violentas, desastres en gran escala, traiciones, homicidios, capas acumuladas de dolor y aflicción, desesperación y depresión, ataques de violencia física, abuso sexual, pérdida de dinero, propiedades o amigos queridos, etcétera.

Todas estas cosas pueden construir barreras entre la Tesorería y los tres átomos permanentes en donde todos los registros están escondidos, y el cerebro. El aumento de la alegría puede eliminar sistemáticamente las barreras y restablecer el sistema de comunicaciones entre el cerebro y la Tesorería, o los «discos» de memoria.

La alegría tiene una relación cercana con la memoria. Acrecienta tu alegría e incrementarás tu memoria.

Veo a muchas familias que están sentadas frente a sus aparatos de televisión, viendo películas en las que hay violencia, homicidio, sexo e inmoralidad. En lugar de perder el tiempo y contaminar su mente, pueden sentarse como una familia y practicar los ejercicios de la alegría. Esa familia será entonces saludable, armoniosa, progresista e incluso aventurera.

Es posible liberar un gran volumen de energía en nuestros sistemas, pero a veces, si nuestros sistemas no están integrados y alineados, esa alegría se dirige hacia los centros más sensibles y los estimula. En la antigüedad, cuando los Grandes Seres solían contactar con Sus discípulos, les aconsejaban ayunar primero durante cinco días, y trabajar en algunos grandes proyectos, de manera que cuando Ellos los contactaran, la energía sería utilizada con propósito y de acuerdo a la meta.

En un monasterio, luego de determinado ejercicio de meditación, el instructor solía aconsejar a sus alumnos que se sentaran y escribieran un texto sobre algún tema elevado. La razón para esto estaba en dirigir la energía del amor hacia los centros superiores sin permitirle estimular los inferiores. El instructor también aconsejaba a los alumnos que corrieran cada día algo más de medio kilómetro y nadaran en las frías aguas del río.

Es importante notar, sin embargo, que tales peligros no existen para la energía de la alegría. Recordemos que la alegría pura es «una sabiduría especial». Puedes acrecentar esta energía tanto como te es posible y aún estar seguro y protegido porque la energía de la alegría lleva consigo su propia sabiduría y da energía a todo el organismo de tal manera que no tiene lugar ningún daño. Por el contrario, debido a la energía de alegría, muchos obstáculos son removidos del sistema.

Al ser una energía inofensiva y controlada por la sabiduría, la alegría se descarga en una cantidad tal que nosotros podemos colaborar con ella y usarla creativamente en ciertos planes y proyectos. Por esta razón, cuando estemos llenos de alegría, debemos pensar qué podemos hacer con esta energía. ¿Tocar o componer música? ¿Escribir un libro o un poema? ¿Visitar a un amigo que está internado en el hospital? ¿Ayudar a un amigo? ¿Construir una pared o fabricar un mueble? ¿Limpiar la casa o bailar?

Es posible derrochar la energía liberada, o no usarla para nada, sino sólo disfrutarla. Si es usada o compartida creativamente, no sólo incrementas la corriente de alegría, sino que también incrementas tu creatividad y transformas tu ser.

Es posible usar la energía de la alegría para tomar contacto con los Mundos Superiores. Se nos dice que cuando estamos llenos de alegría, los seres angélicos ven grandes rayos coloridos en nuestra aura y son atraídos hacia nosotros. Los mayores contactos con los Mundos Superiores se completan durante las épocas de intensa alegría, si estamos dispuestos a usar la alegría para construir un sendero de contacto.

Recuerda que la alegría es una de las sustancias más elevadas que se encuentran en nuestra naturaleza. Si nuestra consciencia está lo suficientemente organizada, es posible usar esa energía para construir el puente de continuidad de consciencia, para cargar ciertos centros y para crear en torno a ellos una adecuada esfera para nutrirlos. Esta energía puede usarse también para reparar determinados daños efectuados en nuestros vehículos físico, emocional y mental.

La alegría es un rayo de luz que puede usarse para cualquier trabajo sanador en nuestros sistemas. En el futuro, algunas almas avanzadas nacerán y usarán el rayo de la alegría a fin de curar a distancia. Serán capaces de curar mentes distorsionadas y perturbadas, emociones y enfermedades. Serán capaces de afinar el sistema humano de acuerdo con las leyes y los principios de la vida.

Será posible mediante la proyección del rayo de la alegría dispersar el odio, la animosidad, el temor, la ira, los celos y la venganza... para dispersar muchedumbres sacudidas por esas oscuras mareas e inspirar acciones heroicas, cooperación, hazañas sacrificadas y trabajo profundamente artístico y constructivo. En el futuro, la ciencia de la alegría será el curso más avanzado en universidades esotéricas y científicas.

Es posible que cierta cantidad de alegría acumulada pueda perderse. ¿Cómo sucede esto? Si te encuentras con personas rodeadas de chismes, malicia, calumnias y traición, ellas pueden vaciar el receptáculo de tu alegría. También es posible perder la energía de la alegría si te asocias o convives con aquellas personas cuyas vidas están inspiradas por el separatismo, vanidad, egocentrismo, presunción, hipocresía, injusticia, venganza, codicia, odio, temor, ira, celos, preocupación, duda, confusión, ansiedad, pánico, agitación, irritación, etcétera.

También puedes perder tu energía de la alegría cuando te pones en contacto con personas que se hallan física, emocional y mentalmente contaminadas o son portadoras de enfermedades transmisibles sexualmente. Tales elementos pueden perturbar la corriente de tu energía de la alegría – si el flujo de energía de la alegría no es todavía estable y lo suficientemente poderoso como para oponerles resistencia.

Una persona triste se asemeja a una persona sin alma. La alegría aumenta si tratas de dedicarte a un servicio sacrificado, si te esfuerzas en procura de la belleza y la síntesis, y trabajas en favor de la paz y la cooperación. Cada noche, antes de dormir, llénate de alegría y envía alegría a todos aquéllos que se esfuerzan en el sendero de la perfección.

Las personas pueden traer alegría de vidas pasadas. Si alguien se está esforzando en lograr belleza, bondad, rectitud y libertad, trata de convertir su vida en un sendero de servicio en favor de los demás, entonces durante muchas vidas nacerá de aquellos padres y en aquellos lugares en los que sus acciones pasadas evocarán y liberarán un flujo constante de alegría desde su Centro.

Para decirlo con más propiedad, el sacrificio, el servicio y el esfuerzo en procura de belleza, rectitud, bondad y libertad generarán una corriente de alegría que, vida tras vida, proporcionará todas las condiciones adecuadas en las que la alegría de la persona crecerá, florecerá y esparcirá corrientes creadoras así como gloria alrededor de sí.

La reencarnación es un hecho. La gente dice que Dios es justo, y aquí en el mundo vemos criminales miserables y grandes filántropos; vemos gente tonta y desquiciada, y genios. ¿Cómo puede un Dios justo crear tales extremos y arrojar a los criminales al infierno? Esto carece de toda lógica. ¿Cómo puede Dios condenar algo que Él creó?

A través de esa sencilla lógica, decimos que es el hombre quien se hace grande o miserable, con sus pensamientos, palabras y acciones. Lo que siembra es lo que cosecha. Ésta es una ley inusual. Las personas alegres son aquellas que en el pasado trataron de evocar alegría, compartir alegría y distribuir alegría. Un gran artista es el resultado de muchas eras de esfuerzo en procura de la belleza. Nada se nos da sin esfuerzo de nuestra parte para obtenerlo. Si en esta vida conversamos, escuchamos, leemos y pensamos acerca de la alegría y tratamos de ser alegres, en las vidas venideras nuestra alegría dará sus frutos. Por esta razón, la Sabiduría Eterna dice que nunca es demasiado tarde para empezar algo nuevo.

Los beneficios de la alegría nunca cesan, si su flujo es constante. El mayor misterio de la alegría consiste en que no tienes necesidad de aconsejar a la gente sobre cómo manejar sus vidas constructivamente. Sólo enséñales cómo ser alegres y cómo compartir su alegría, y la alegría les enseñará qué hacer, cómo hacerlo y por qué hacerlo. El misterio consiste en que «la alegría es una sabiduría especial». Cuando tienes alegría continua, puedes tener todo lo que está en armonía con la alegría.

También debemos recordar que la alegría incrementa tu luz, y la luz te revela con exactitud lo que tú eres. En primer lugar, te horrorizas de ti mismo porque empiezas a ver cosas horribles en ti que nunca habías visto antes. Después, la alegría te revela las formas de superarlas. Luego la alegría brilla en tu sendero más y más, como «la columna de luz».

La alegría no sólo te da sabiduría, sino que también te hace muy rápido y agudo en tu modo de pensar. Lee un libro después de haberte vengado de alguien, o después de haber odiado y esparcido chismes. Verás cuán confusa se hace tu comprensión. Pero cuando leas un libro con alegría, no sólo comprenderás el significado de las palabras, sino que también penetrarás en el corazón y el propósito del libro.

¿Qué es realmente la alegría? Para contestar esta pregunta, debemos remitirnos a los *Upanishads* en donde está escrito que el Ser es alegría. Dios es dicha infinita. Cuando un rayo de dicha encuentra un mecanismo en el cual puede aún manifestar su belleza, gloria y sabiduría, decimos que esa dicha se ha manifestado como alegría. En otras palabras, cuando el rayo de dicha entra en contacto con un mecanismo altamente organizado, se expresa a si mismo como alegría. Es este rayo de alegría que revela la voluntad y la dirección del Creador. Esto significa que quienes tienen alegría, quienes viven en alegría y comparten su alegría con los demás, aquellos que tratan de hacer que la gente esté alegre, tienen dirección y la Voluntad Divina opera en ellos con la luz de la sabiduría.

A medida que la alegría aumenta, el propósito de la vida aparece más y más claro, y el hombre camina en la luz como amigo de la Fuente de la dicha. ¡Benditos los que caminan en la luz de la sabiduría de la alegría!

En la ceremonia de admisión de cierta Hermandad sagrada, el Líder le dice al neófito, quien es invitado a convertirse en un co-trabajador del Ejército de la Luz: «tú que llegaste a nosotros con los ojos vendados y sin escudo, ahora puedes recibir primero el escudo de la alegría, y luego la lanza de la luz». Los co-trabajadores deben estar escudados por la alegría. Un grupo sumamente calificado de personas en cualquier campo del quehacer humano que está dedicado a servir a la humanidad, debe resguardarse, individual y grupalmente, con el escudo de la alegría. A menos que ellos tengan el escudo de la alegría, no podrán ser utilizados por las fuerzas creativas del Universo, porque serán vulnerables a las fuerzas de la destrucción.

Las más grandes batalles contra la esclavitud, la oscuridad, la ignorancia, la corrupción y el totalitarismo se llevan a cabo con el escudo de la alegría y la lanza de la luz. El heroísmo y el servicio sacrificado son inspirados por la alegría, y el trabajo es llevado a cabo bajo el escudo de la alegría. Un Gran Sabio, M.M., sugiere que se establezca una fundación especializada en psicología para desarrollar investigaciones científicas sobre la alegría.

La alegría puede existir en condiciones dolorosas. La alegría no está sujeta a ninguna condición. Puede aparecer en las situaciones más felices o en el dolor, el sufrimiento y el trabajo sacrificado. El cuerpo y la personalidad pueden estar involucrados en condiciones dolorosas, pero el corazón vive en alegría.

La alegría te ayuda a desapegar tu consciencia y a recogerte en tu castillo interior, mientras que la guerra está rampante en el valle de tu vida. La alegría también te escuda y libera en el campo de batalla para fortalecer las manos de aquellos que defienden la belleza, la bondad, la rectitud y la libertad.

A veces, además del flujo de alegría que proviene de tu Centro Interior, alegría adicional te es dada desde los Mundos Superiores. En los Mundos Superiores la alegría es más sustancial y real. Algunos de tus co-trabajadores te proyectan alegría en tu trabajo cuando las situaciones se tornan más oscuras y más peligrosas.

Existe la alegría de lo Infinito e ilimitado. Las personas pierden su alegría al involucrarse con objetos pasajeros y con valores de muy corta vida. Pero los conceptos de lo Infinito e interminable fascinan al corazón con alegría.

Creamos paradas imaginarias en el sendero del viaje interminable y decimos, que, si llegamos a estas estaciones, estaremos perfectos; si no es así, estamos perdidos. Pero el sendero es interminable. La perfección y la realización no son fines en sí mismos sino comienzos de algo superior.

Incluso puedes pensar, hablar o hacer algo infinitamente mejor, y mejor, y mejor. En el camino hay letreros para detenerse, pero sólo son obedecidos para dar a otros la oportunidad de avanzar por su propia senda infinita en la medida en que se crucen con la tuya. Tal alegría de lo Infinito e interminable debe cultivarse en ti. Puedes experimentarla visitando montañas y océanos, pero puedes tener mejor contacto con la alegría si observas el cielo nocturno con sus millones de estrellas o piensas en lo Infinito e interminable.

Nuestro sentido de los valores está distorsionado porque nuestros valores son los productos de lo finito; son los productos de todos esos objetos efímeros que existen sólo en el tiempo. Cuando nuestro sentido de los valores no está equilibrado con valores infinitos e interminables, perdemos nuestro sendero y trabajamos para nuestra propia destrucción.

Desde la niñez, debemos desarrollar el equilibrio entre los valores terrenales y los valores celestiales. La alegría de lo Infinito e interminable es la que proviene de la parte infinita y atemporal del ser humano. A medida que esta alegría aumenta, la persona se carga más y más con valores infinitos y atemporales.

Otra fuente de verdadera alegría es la convicción de que los Hermanos Mayores de la humanidad[3] existen como un faro

3. Ver *The Eyes of the Hierarchy*.

colectivo en nuestro viaje a través del océano de la vida. Esta alegría puede causar cambios fantásticos en nuestras vidas. En nuestras horas más oscuras sentimos La Mano Guía. En cualquier momento en el que nos sintamos desalentados, fracasados o atacados, Su imagen nos reanima. Nos damos cuenta de que también podemos prestar un poderoso servicio a la humanidad como lo hicieron Ellos, pasando a través de inimaginables ataques y dificultades en Su sendero.

Es una gran alegría tener un Hermano o una Hermana Mayor a tu lado, mientras recorres los desiertos, las montañas y las selvas de la vida.

La alegría expande nuestra consciencia. Nuestra expansión de consciencia tiene un significado mayor para el mundo que para nosotros. Cada consciencia en expansión se convierte en un líder de bondad, luz y belleza. Por la expansión de consciencia el mundo se enriquece. Con cada expansión de consciencia, los Mundos Superiores pueden establecer mejores contactos con las personas que viven en los tres mundos inferiores. El Espíritu Universal se regocija, cada vez que expandimos nuestra consciencia.

La fuerza curativa de la alegría descansa en su poder de erradicar el peligro y prevenir la irritación[4]. La irritación es el origen principal de todas las enfermedades destructivas. El *imperilo*[5] se oculta dentro de muchas formas de dolencias, pero la alegría creciente es el único poder que puede combatirlas. La alegría y el aceite de ajenjo pueden desarrollar conjuntamente curaciones maravillosas, pero cuando la alegría se hace ígnea, no se necesitan medidas terrenales para combatir las enfermedades.

4. Ver *Irritation, The Destructive Fire.*
5. Término utilizado por el Maestro Morya para definir cierta energía densa que cubre el sistema nervioso y lo daña (*N. del T.*).

Cada día debemos ejercitar la alegría hasta que todas sus vías se abran dentro de nosotros. Un Iniciado de alto grado es una encarnación de la alegría. Un héroe universal no es un hombre o una mujer, sino una corriente de alegría.

> *Es hora de que la ciencia investigue la influencia de la alegría. Tenemos en mente una alegría pura, en la alegría de los bondadosos, la alegría de la creatividad. De otro modo, todos los que viven con mala voluntad se sentirían felices imaginando que sus irradiaciones están llenas de luz.*
>
> M.M.

La alegría estimula el sistema glandular. Es especialmente eficaz en el sistema endocrino. Los principales desórdenes del cuerpo pueden ser corregidos por medio de la alegría.

En el futuro, los hospitales tendrán una sección especializada cuyos miembros prepararán eventos alegres para evocar alegría en los pacientes. Esta área trabajará bajo la luz de la ciencia, y todos los eventos serán preparados con detalle científico para satisfacer las necesidades de los pacientes en particular. Los hospitales mentales o psiquiátricos estarán equipados con tal equipo de personas.

Es muy interesante saber que los agentes que son destructivos para nuestra salud mental no pueden sobrevivir bajo la irradiación de la alegría. Muchos experimentos serán llevados a cabo para ver con qué diferencia determinados químicos afectan a las personas que están alegres y a quienes están tristes, negativos, afligidos, pesarosos, etcétera. Se crearán máquinas que serán capaces de medir la alegría, acumular alegría y transmitir alegría.

Cuando una persona entiende que la alegría es energía, no tendrá dificultad en comprender los conceptos anteriores. Los estados mental, emocional y físico del ser bajo la influencia de la alegría serán examinados; luego las secreciones; luego el corazón; luego los sentidos. Las corrientes de pensamiento bajo la influencia de la alegría serán medidas. En realidad, podemos enviar mejores mensajes telepáticos si estamos alegres. La energía de la alegría combinada con la energía del pensamiento puede obrar milagros.

El amor combinado con la alegría es muy diferente de la alegría sola. El sexo sin amor crea decepciones profundas. Una persona puede tener relaciones sexuales con amor y disfrutar el acto, pero si la alegría y el amor se combinan, la pareja alcanza el éxtasis. El éxtasis no es un sentimiento o un estado de consciencia, sino un momento de apertura del aura al Plano Intuicional, de donde proviene un rayo de dicha. El éxtasis en el sexo no puede ser alcanzado por aquellos que cometen adulterio, quienes cambian frecuentemente de pareja, no son fieles entre sí o cuyos corazones están divididos. Largos años de relación sacrificada y alegre pueden abrir las puertas del éxtasis. Es por esta razón que el sexo es sagrado. Puede transformar a una persona, si ésta se halla preparada para ello.

También debemos observar que utilizar cualquier parte del cuerpo o de los sentidos sin alegría, debilita esa parte e incluso crea complicaciones en ella. Si estás teniendo relaciones sexuales sin alegría, eventualmente desarrollarás complicaciones en tus órganos genitales. Si tus ojos y oídos se hallan bajo la influencia de los rayos de la aflicción y del dolor, incluso ellos eventualmente perderán su capacidad de servir. Si causas dolor y sufrimiento con tus manos, gradualmente desarrollarás muchas complicaciones en tus manos.

Un hombre cuya mano derecha estaba paralizada vino una vez a nuestro monasterio. El Maestro del monasterio le preguntó qué era lo que más solía hacer con ella. Luego de hacer una pausa por unos momentos, él dijo: «Usé mi mano derecha para matar ovejas y toros durante muchos años».

«¿Cuántos mataste?» le preguntó el Instructor.

«Miles...».

No escuché el resto de la conversación porque de repente sonó la campana para la cena. Más tarde le pregunté al Maestro del monasterio cómo la matanza de animales podía paralizar la mano de alguien. Me contestó: «Cada vez que ese hombre sentía el dolor y el sufrimiento de los animales, la energía dadora de vida decrecía en su mano, y eventualmente desapareció por completo. La falta de alegría causa parálisis».

En esta época tan sofisticada, la gente puede reírse de este enunciado y considerarlo una superstición. Pero mi Maestro curó la parálisis de ese hombre en seis meses, haciéndole practicar diariamente, durante cuatro horas, el ejercicio de la alegría. Una vez, yo anoté uno de sus ejercicios:

«Visualiza tu brazo derecho, y con él saca del río a un hombre que se está ahogando... Escribe una carta alegre con él... Da dinero y joyas a los pobres con él... Sirve comida a centenares de personas con él...».

Este hombre solía sentarse como una estatua y seguía los ejercicios dados por mi Maestro durante cuatro horas diarias. Al cabo de seis meses, él usaba ese brazo para dar agua a un ciervo de la montaña que visitaba nuestro jardín.

Algunos psiquiatras deben pensar e investigar para descubrir si esa curación puede ser explicada científicamente.

Cierta vez, luego de que Cristo curó la ceguera de un hombre, el hombre respondió a una multitud que dudaba: «Una cosa sé: no podía ver antes, pero ahora sí puedo ver». Después de comprender esto, todos los argumentos y dudas se parecen a los zumbidos de un mosquito.

La mayoría de los sanadores espirituales están cargados con la energía de la alegría y pueden transmitir instantáneamente la alegría que elimina las causas de los problemas. Creo que en un futuro cercano un gran instituto será organizado para la investigación de la alegría. Primero, todo lo que se ha dicho en el mundo sobre la alegría, en todos los idiomas, será compilado y categorizado. Segundo, se conducirán experimentos científicos sobre la alegría. Tercero, la energía de la alegría será utilizada con la energía del amor. Cuarto, la energía de la alegría será utilizada como el rayo láser de la Nueva Era.

Las personas aprenderán a comunicarse con los Mundos Superiores a través de la alegría. Las personas deben eliminar todas las imágenes dolorosas a lo largo del mundo, incluyendo las películas dolorosas, la literatura dolorosa y la historia dolorosa, si la humanidad ha de penetrar en una dimensión superior. Una nueva historia debe ser escrita para la humanidad, en la que todos los momentos alegres de la historia sean recopilados.

Un momento alegre es un momento de libertad, belleza, bondad o rectitud. Esta historia debe ser escrita no desde el punto de vista de cualquier nación y no para cualquier nación, sino desde el punto de vista de la humanidad y para una sola humanidad, pues la alegría no puede vivir en intereses separatistas.

El desarrollo y la transformación humanos son iniciados y regulados por los Mundos Superiores, a través de ciertas corrientes de energía. Estas corrientes especiales sólo alcanzan a aquellas personas cuyas auras están cargadas con alegría. La alegría en el aura da extremada sensibilidad magnética a estas corrientes, así como poder de absorción. La evolución futura superior pertenecerá a aquellos que viven en alegría, que comparten alegría y que difunden alegría.

Una consciencia cargada de alegría es completamente diferente de una consciencia que está cargada de melancolía. La energía psíquica es asimilada y distribuida sólo a través de la alegría. Es la alegría en nuestros corazones la que trae corrientes de energía psíquica.

A fin de comparar la energía psíquica con la alegría, podemos decir que la energía psíquica es el Sol, y la alegría es un rayo del Sol. Ambos marchan siempre juntos. Uno no puede contactar con la energía psíquica excepto a través de la alegría. La alegría acumula muchos tipos de energías creadoras y constructivas que provienen del Espacio. También les da a las personas la sabiduría de cómo usar estas energías.

Es posible que los grandes héroes de la Enseñanza gasten su energía psíquica en servicio excesivo y priven a su sangre de energía psíquica. Esto, se nos dice, crea complicaciones en la sangre y puede incluso causar cáncer. Pero la energía psíquica puede restaurarse mediante la alegría — alegría creciente, ardiente y abrumadora. Es por esta razón que los trabajadores en el área del servicio de la luz son aconsejados de estar siempre alegres de modo que reemplacen su energía psíquica agotada.

Los ataques vienen a los trabajadores cuando, después de agotar su energía psíquica, caen en la depresión, la soledad o la aflicción, debido a diversos ataques de las personas. Es muy importante que aquellos que están comprometidos en un gran servicio tengan a un grupo de personas a su alrededor que estén cargadas con alegría y entusiasmo, y que puedan protegerlas de los ataques luego de un servicio pesado y agotador.

Cuando una persona está cargada con energía psíquica, puede usar esa energía constructiva o destructivamente, al mezclarla con sus pensamientos positivos o negativos. La energía psíquica de una persona se acumula en cualquier objeto que ella toque, y permanece allí a veces por un tiempo muy largo. Es posible que determinados objetos se carguen destructivamente con esa energía psíquica y de pensamientos. Quienes tocan esos objetos sienten diversas reacciones.

Cuando el pensamiento es energizado por la energía psíquica, se convierte en un factor de bondad o maldad. Pero cuando la alegría se une con la energía psíquica y con el pensamiento, crea un carácter benévolo en pensamiento. Ningún pensamiento cargado de alegría puede ser destructivo, malévolo o separatista, sino que es siempre constructivo, benévolo y unificador.

La alegría no puede ser usada indebidamente por los pensamientos malévolos. La alegría hace que sea imposible para la mente pensar de maneras malévolas. Por ello, la combinación de energía psíquica, alegría y pensamiento trae milagros a la vida de la humanidad.

La belleza juega un gran rol en el incremento de la alegría. Es posible que nos carguemos de alegría disfrutando de la belleza en cualquier forma. El sentimiento de gratitud también libera una gran cantidad de alegría. El esfuerzo hacia la perfección libera los recursos más ocultos de la alegría.

Una vez, alguien preguntó a un gran Instructor: «Maestro, se nos dice que después de abandonar nuestros cuerpos, nos enfrentamos con una gran oscuridad en el Mundo Sutil. ¿Cómo podremos ver nuestro sendero y qué clase de luz podremos usar allá?»

El Instructor contestó: «Habrá muchas clases de luz, pero la luz y la guía más brillantes serán la alegría. Cada vez que experimentas alegría pura y ardiente, enciendes una vela en el sendero eterno, y cuando falleces, ves bellas velas encendidas en tu sendero que incrementan la luz a medida que la alegría de tu corazón las toca».

«La oscuridad jamás existe para quienes siembran las semillas de la alegría en sus vidas efímeras. Ellos cosechan columnas de luz en su sendero eterno. La alegría es la guía hacia los Mundos Superiores».

Otro gran Instructor, al hablar sobre la alegría, dice que uno también puede desarrollar la alegría ejercitando la admiración. La admiración puede liberar muchas fuentes de alegría dentro de ti. Trata de tener tiempo para admirar la Naturaleza — las flores, las hojas, los árboles, las montañas, los ríos, las cascadas, los lagos, los pájaros y sus cantos... Procura cultivar admiración por la belleza, en cualquiera forma que ésta tome. Trata de cultivar la admiración hacia la destreza y sabiduría de los genios y hacia la creatividad de los grandes artistas.

Los cuadros, las esculturas, los libros, los poemas, las joyas, la destreza física — todo lo que es bello — deben evocar admiración en ti. Tómate un tiempo cada día, de diez a quince minutos, para admirar algo bello, inteligente, ingenioso o agradable. La Naturaleza y el mundo entero están llenos de objetos admirables.

Si estás solo en tu cuarto, cierra tus ojos y visualiza o recuerda objetos admirables. Recuerda dichos notables, poemas o personas a quienes admiras. En quince minutos cargarás tu naturaleza con alegría pura y la usarás durante el resto del día en todas tus acciones, sentimientos y pensamientos.

La admiración no sólo llena toda tu naturaleza con la energía de la alegría, sino que también te trae paz, calma y salud.

Una de las cualidades de los niños es la admiración. Mientras que una madre pasa junto a una bella flor, el niño se sienta junto a ésta y disfruta de la belleza de esa flor. Observa cómo los niños admiran muchas cosas. Su admiración es una fuente principal de energía y alegría para ellos. Incluso durante su tristeza y su llanto, si ven algo hermoso, se olvidan de su problema y empiezan a admirar el objeto.

Es posible modificar muchas cosas negativas en los niños sólo por crear la oportunidad para ellos para que admiren. Será posible para los psiquiatras en el futuro usar una técnica o un ejercicio de admiración para sanar a sus pacientes. La admiración es una gran manera de liberar la energía de la alegría y hacer que integre y equilibre todo el mecanismo mental, con sus contrapartes sutiles.

Observa a las personas de edad avanzada que están saludables; ellas tienen una cualidad destacada — la admiración.

Los Grandes Instructores nos previenen contra la crítica desvalorizadora, los chismes, la calumnia, la malevolencia, el odio y la venganza, porque estos gusanos destruyen nuestra red protectora de energías. Esas negatividades devoran la sustancia de la alegría producida por la admiración.

La admiración llena tu aura con una sustancia superior, pero en unos pocos minutos los chismes malévolos pueden devorarla. Muchas personas necias se privan de la energía de la alegría al odiar a los demás y al calumniar a sus amigos.

La alegría y la admiración son dadas a todos los seres humanos. Cualquiera de nosotros, en su propio nivel, tiene muchas oportunidades para estar alegre en la vida diaria. Nadie puede limitar tu oportunidad para estar alegre. Nadie puede evitar que admires. Por lo tanto, la Naturaleza te da una oportunidad para sanarte, transformarte a ti mismo, progresar y elevar tu consciencia — cada día y en todas partes.

La alegría es la corriente de la dicha; la felicidad es la experiencia física de la alegría. Por lo tanto, la alegría puede ser experimentada en diversos niveles como felicidad, como alegría pura o superior, o bien, como alegría ardiente.

La dicha sólo puede ser experimentada en momentos muy raros, como un destello de luz. Pero aquellos que pueden ir más allá de su vehículo mental y entrar en la esfera intuicional pueden vivir continuamente dichosos. El *nirvana* es el portal de la dicha.

El arrobamiento es un momento en el que tu alma es atrapada en las corrientes de la dicha. El sendero hacia el Hogar es el sendero de la felicidad, la alegría y la dicha. Trata de crear un mundo feliz, una vida alegre y un esfuerzo dichoso hacia lo Supremo.

La energía de la alegría es la energía más segura para causar transmutación, transformación y transfiguración. Es muy interesante saber que cuando nos exponemos prematuramente a asimilar la belleza, la bondad y la verdad, creamos resistencias en los vehículos de nuestra personalidad. Esta resistencia produce fricción e inflamación en determinadas áreas del aura, lo que se convierte en causa de diversas enfermedades.

Más allá de las fronteras humanas existen alegrías mayores que son experimentadas por quienes son capaces de librarse de las limitaciones humanas y terrenas. Existe la alegría de la incorporeidad. Existe la alegría de estar en Otros Mundos. Existe la alegría de conocer a los Grandes Seres. Existe la alegría de presenciar la sinfonía de las energías que controlan un globo, un sistema solar, una galaxia…

Luego, existe la alegría de estar dispuesto a participar en una labor sobrehumana — la de ver, oír y entender en dimensiones superiores, la de crear en el mundo del fuego y de la energía. La totalidad del Cosmos danza en una esfera de alegría… Sin embargo, el alma que avanza sabe que el dolor, el sufrimiento y los procesos destructivos están en todas partes en la Naturaleza. Existen para guiar los pasos del viajero hacia la dicha y hacia los Mundos Superiores.

Algunas personas están tan deprimidas y golpeadas por los eventos de sus vidas que no quieren recordar los momentos alegres de su existencia. Sienten incluso que estar alegres es realmente una estupidez. Tú puedes ayudar a esas personas de las siguientes maneras:

1. Háblales sobre los momentos alegres de tu vida.
2. Cuéntales historias verdaderas de los momentos alegres de otras personas.
3. Ayúdalas indicándoles las cosas en sus vidas por las que deben sentirse agradecidas y alegres.
4. Dales determinadas buenas noticias acerca de asuntos nacionales e internacionales.

Si captas el interés de esas personas con uno de estos puntos y logras que se involucren e interesen, tendrás mayor éxito en crear alegría en ellas. No las presiones más; aguarda unos días y repite luego tu técnica otra vez, con un enfoque más luminoso.

Ejercicio para crear una nueva identidad

A veces, si las técnicas antedichas fallan, puedes usar otros ejercicios mencionados en este libro.

Siéntate y prepara una lista de treinta cualidades buenas acerca de ti mismo. Estas deben ser cualidades que tú piensas que posees, no cosas que otras personas digan acerca de ti. Luego, durante un mes, toma una cualidad cada día y piensa de cinco a diez minutos sobre cómo puedes mejorar o incrementar esta cualidad en ti mismo[6].

6. Ver *The Mystery of Self Image.*

Al finalizar un mes, verás que habrás construido una identidad sólida en ti mismo. Esta es la identidad que nadie podrá quitarte con sus opiniones e ideas cambiantes acerca de ti.

Este ejercicio debe realizarse con atención continua sobre la virtud de la humildad. En todo momento estás construyendo tu identidad espiritual, debes recordarte a ti mismo que no lucirás tus tesoros, no demandarás reconocimiento por tu belleza ni expondrás tus valores.

Adicionalmente, debes tener un tiempo para pensar acera de aquellas cosas que pueden impedirte desarrollar tus mejores cualidades y que pueden obstaculizar tu progreso. Por ejemplo, digamos que tienes en tu lista la buena cualidad de la fidelidad o la solemnidad. Debes pensar qué puede obstaculizar el desarrollo y expansión posteriores de tu fidelidad o solemnidad, o qué puede atacar a estas cualidades. Debes también considerar cómo es posible usar la fidelidad o solemnidad para tus intereses egoístas o tu deseo de superioridad.

3

ALEGRÍA Y CURACIÓN

Segunda Parte

La alegría estimula tu sistema glandular. Cuando estás alegre, eres fuerte y puedes hacer casi cualquier cosa. Puedes saltar desde la cima de una montaña a otra. Puedes incluso sentir que puedes volar hacia las estrellas.

La alegría estimula tus centros emocionales. Cuando los centros emocionales son estimulados, la alegría limpia y purifica todo tu sistema emocional. La alegría expulsa todas las emociones negativas. Cuando estás alegre, no odias. Cuando estás alegre, no puedes estar enojado; ni siquiera tienes temor. Cuando estás alegre, no eres celoso ni vengativo. Esto significa que la alegría elimina muchas cosas malas de tus reinos emocionales. En un sentido, la alegría cura tu cuerpo y tus emociones. Sin alegría, no puedes hacer nada constructivo.

La alegría coordina y sincroniza el engranaje de tu naturaleza mental. Coordina e integra tu cuerpo físico con tu cuerpo etérico — la parte electromagnética de tu cuerpo. La alegría estimula tus glándulas.

Si estás en el proceso de tomar una gran decisión en tu vida, no seas pesimista ni de mente estrecha, vacilante, temeroso o agitado. Sólo sé alegre y verás cuán acertada será tu decisión. Lamentablemente, la mayoría de las decisiones las tomamos bajo presión, pesar, depresión, temor, ira u odio. Por esta razón, la mayor parte de nuestras decisiones son erróneas.

Sólo aquellas decisiones tomadas a la luz de la alegría serán decisiones correctas porque la alegría expande tu consciencia, sincroniza tus engranajes y elimina las formas mentales oscuras, los prejuicios, las supersticiones y las ideas preconcebidas. La alegría aclara el espejo de tu mente para que tu Alma refleje las decisiones en el lago de tu plano mental.

Cuando tus cuerpos físico, emocional y mental están sincronizados, alineados y purificados, estás en camino hacia la salud y la felicidad. Los médicos están descubriendo lentamente que antes de curar el cuerpo, deben darle alegría al paciente. Si vas a ver al médico, éste puede decirte que tu condición es mala o que corres grave peligro, y es probable que creas que vas a morir. Pero si tu médico te dice que hay un pequeño problema que puede ser curado y que no te preocupes, ya te encuentras en la senda de la recuperación. Es la alegría interior la que te cura o ayuda al proceso curativo.

La alegría no es un estado emocional o una condición física o mental. La alegría es energía. El hombre es una gota de Dios. El hombre es una Chispa que proviene de Dios, y Dios es dicha. Si multiplicas la alegría diez millones de veces, podrías tener una ligera idea de lo que es la dicha. Quien quiera que se haga dichoso o alegre, comprende lo que es Dios.

Dios no es una energía odiosa, celosa, vengativa, separativa, agresiva o destructiva. Los seres humanos usualmente piensan que Dios es estas cosas negativas, pero Él es dicha. Por esta razón, el ser humano en todos sus emprendimientos trata en primer lugar de ser feliz y luego, alegre; después, trata de fundirse en la dicha.

La felicidad es la expresión más baja de la dicha. Cuando estás feliz, quieres estar alegre; luego, cuando estás alegre, quieres estar dichoso. Como dijo Cristo: «Sed perfectos como vuestro Padre en los cielos es perfecto». Ésta es la fórmula que ayuda a que la gente entienda que Cristo se estaba refiriendo a un misterio — que el hombre debe lentamente hacerse feliz, alegre y dichoso a medida que marcha hacia la perfección.

Este es el sendero de la vida. No hay nada más que debas buscar. Compras muebles para ser feliz. Te casas y tienes hijos porque quieres tener alegría. Aprendes, sientes y tratas de hacer cosas porque quieres estar dichoso. Toda la vida es una búsqueda de felicidad, alegría y dicha.

La felicidad es físico-emocional. La alegría es mental-espiritual. La dicha es divina. Tú, en tu propio Centro, eres dicha. Por esta razón se dice que si te encuentras a ti mismo, serás la persona más alegre del mundo. Trata de hallar tu Centro y toma contacto con Él, porque tu Centro es Dios. Nada existe dentro de ti, salvo Dios. Cristo dijo: «Tú eres el templo, y en el templo mora el Todopoderoso». Tú eres el templo de Dios.

Vas a encontrar en ese templo al Dios vivo. Cuando lo encuentres, verás que tú y Él son uno solo. San Juan dijo: «no sabemos lo que vamos a ser, pero cuando Lo veamos, seremos como Él». Este es un gran misterio. Tu destino es avanzar lentamente hacia tu Ser, liberando la energía de la dicha.

Si la energía de la dicha es sentida en tu naturaleza física y emocional, se llama felicidad. Si la dicha es sentida mental y espiritualmente, se llama alegría. Si la sientes más allá de los cuerpos inferiores, es dicha o éxtasis. Esto es *samadhi*, un estado en el que nada te afecta.

Hay un relato sobre la lapidación de Esteban, el primer mártir cristiano. Mientras que las piedras golpeaban su rostro, su cabeza, su espalda y su columna vertebral, él estaba en éxtasis. Su rostro comenzó a brillar y estaba alabando al Señor. Las personas presentes estaban asombradas. El dejó detrás su cuerpo y sus emociones y estuvo unido con el Propósito Divino, con la Divinidad. Nada más podía atacarle porque él estaba en éxtasis. Esto le ha sucedido a muchas, muchas grandes almas, líderes y héroes. Cuando se unieron con su contraparte divina, estuvieron dichosos, incluso en el fuego o bajo la espada.

La dicha se halla muy lejos de nosotros. Primero, debemos ser felices; entonces podremos tener una ligera idea de lo que es la alegría.

Quise saber lo que la ciencia, la psicología y la filosofía decían sobre la alegría. Después de investigar, encontré muy poco escrito sobre la alegría. Por lo que sé, no hay una sola investigación científica sobre sobre la alegría y sobre lo que ésta hace en favor del cuerpo, las emociones y la mente, así como para las plantas, los árboles, los animales y todo el medio ambiente, lo cual incluye también a grupos, naciones y toda la humanidad. La alegría es realmente la máxima fuerza curativa, porque es el poder de Dios, la fuerza de tu Espíritu. Puedes curarte incrementando tu alegría.

Puedo decirte con mucha sinceridad que mi cuerpo era realmente el cuerpo más débil, por ciertas razones que no conozco. Pero me curé a mí mismo continuamente por medio de la alegría. Me sentaba y me ponía alegre; diez minutos después, mis dolores, ansiedades y preocupaciones se había ido y yo estaba lleno de energía. No sabes cuántas flechas oscuras me hirieron — chismes, calumnias, traiciones – para hacerme sentir cada vez más pequeño. Un día me dije: «Sal de esta tumba!» «¿Cómo?». «Mediante la luz de la alegría». ¡Y lo hice!

Advertirás que tu alegría es afectada por lo que tú haces a los demás. Si quieres ser feliz, no robes a las personas ni las mates. La búsqueda de la felicidad mejora tus relaciones. Si quieres estar realmente alegre, entonces no tengas odio, temor, ira, celos ni venganza. Pero la gente dice: «No, quiero estar alegre, y entretanto, quiero odiar y destruir». Eventualmente ellos descubren que esto no funciona.

Digamos que te sientes alegre; entonces, suena el teléfono y empiezas a mentir. Diez minutos más tarde descubres que tu alegría desapareció. Satanás y Dios no pueden vivir juntos. En la búsqueda de la alegría, la felicidad y la dicha, te portas bien lentamente y corriges tu vida. Mejoras tu vida y la conviertes en un proceso de avance hacia la perfección.

A medida que avanzamos hacia Acuario, toda la humanidad ha empezado a buscar la felicidad. Pocas personas que están más avanzadas están buscando alegría y dicha. Desde luego, hay personas que se sienten felices cuando hacen algo malo a los demás o los hieren, pero aun esas personas están buscando la alegría. Psicológicamente, esas personas son muy infelices, incluso son personas enfermas. Se involucran en muchas clases de líos y problemas para eventualmente descubrir que la alegría no puede ser suya quitándole a los demás sus alegrías.

Las personas instintivamente ven un peligro en aquellos que atacan las alegrías de los demás, privándolos de su libertad, sus posesiones y alegrías. Eventualmente tratan de disciplinar a aquellos que causan pesar y tristeza a otras personas. Las cárceles y los manicomios están llenos de personas que trataron de alguna manera de robar la alegría de otras personas.

Cada vez que despojamos a otros de su alegría, grabamos estas experiencias en nuestra psiquis. Estas experiencias se acumulan lentamente y empiezan a crear cierta presión en nuestro ser. Usualmente la depresión y el profundo pesar suelen ser el resultado de las presiones de esas expresiones acumuladas que se tornan explosivas.

La alegría es un factor muy importante para mantener unidades y grupos integrados. Muy pronto las personas se darán cuenta de que el éxito en cualquier negocio o trabajo grupal dedicado al bienestar de la humanidad depende de la energía de la alegría que circule en el personal de ese negocio o grupo.

La alegría no sólo eleva la consciencia individual sino también la consciencia de los trabajadores y miembros del grupo. Crea actitudes correctas de trabajadores y miembros entre sí. Establece correctas relaciones entre las personas. Da entusiasmo y mantiene la visión de servicio clara en sus corazones.

Si los integrantes de un grupo o los socios comerciales elevan el nivel de su alegría con ejercicios diarios, se observará un mejoramiento sustancial en la labor comercial o grupal. Los a cualquier actividad grupal se alzan como barreras en el sendero del éxito de ese grupo.

Un negocio puede arruinarse si tan sólo una persona clave cede a la negatividad o depresión, y pierde la alegría por su servicio y labor, su entusiasmo y su visión. Los grandes líderes y ejecutivos son aquellos que en los tiempos más críticos mantienen todavía encendidas la llama de la alegría y la esperanza en su corazón.

La alegría debe ser introducida en las escuelas y aulas. Cuanto más grande y profunda sea la alegría de los estudiantes, mayores serán su comprensión y éxito. Mi Padre tenía un «hábito». Siempre que entraba en su farmacia solía preguntar: «¿Cómo están mis muchachos? ¿Trabajan con alegría?». Y al abandonar el local, acostumbraba decir: «que la alegría esté con ustedes hasta que les vuelva a ver».

Una vez me dijo que las recetas despachadas con alegría eran medicinas más potentes que las preparadas por una persona de humor negativo. Si alguno de sus trabajadores estaba alguna vez un poco en el lado negativo, solía llamarle y mirarle a los ojos durante unos minutos. Usualmente la persona empezaba a sentirse de mejor ánimo.

En una ocasión, un trabajador me dijo que cuando empezó a trabajar con mi Padre, lo que le resultó más difícil trabajando en la farmacia fue estar alegre todo el día. «Pero ahora», me comentó, «lo que me resulta más difícil es estar sin alegría».

Cierta vez, dos trabajadores tuvieron un pequeño problema. Mi Padre los llamó a su oficina y los miró con una profunda sonrisa. Luego lanzó una carcajada y les dijo: «Bien, vayan a trabajar». Estas dos personas salieron de la oficina entre risas… Vieron cuán tonto era su problema y cuán cómica había sido la actitud de uno hacia el otro.

La alegría debe introducirse en todos los ámbitos de la actividad laboral. Las personas no pueden sustituir las bebidas alcohólicas, la comida y las fiestas con la alegría. La alegría debe evocarse desde el corazón. Una alegría evocada desde el corazón desarrolla en nosotros un sentido de trascendencia que nos protege de caer en los intrascendentes problemas de la vida.

Las experiencias de éxtasis son muy raras. Sabemos que son posibles y que ciertas personas las han experimentado.

El primer éxtasis que experimentas es el éxtasis sexual. Después está el éxtasis de sacrificarse, el éxtasis de la oración, el éxtasis del servicio, el éxtasis creativo, el éxtasis de la danza, el éxtasis del canto, etcétera. La alegría en el plano más bajo se siente como felicidad. En el siguiente nivel, es alegría y es gozo y en el siguiente nivel, es dicha y éxtasis. El arrebato es alegría intensificada.

Lentamente, debes experimentar tales alegrías y crear formas y medios prácticos de experimentar más alegría, más éxtasis y más felicidad.

En el momento en que eres feliz, debes observar qué es la felicidad y qué es la alegría, y qué es lo que está haciendo. Hay felicidad que se relaciona con el cuerpo, las emociones y la mente. Debes averiguar qué felicidad estás experimentando. Eventualmente averiguarás cómo la luz de la alegría mejora tu vida.

La alegría te hace exitoso en tu vida social. Si observas realmente tu vida social — vida familiar, vida societaria, vida comercial — descubrirás que quienes son exitosos y están satisfechos en sus vidas son las personas alegres. Si tu esposa o esposo no es alegre, quieres deshacerte de ella o él. Una mujer prefiere un marido alegre, aun cuando tenga poco dinero. La alegría da vida, salud y felicidad a tus hijos y dentro de tu hogar.

Tuve un amigo en la escuela que siempre estaba deprimido, adolorido y sufriendo. Un día le pregunté: «¿Qué te está sucediendo?».

Me contestó: «El mundo no sirve; esto no sirve, aquello no sirve; Dios no sirve…».

Le dije: «¡Detén eso!».

El solía tratar de llevarme a la depresión.

Yo siempre procuraba mostrarle el lado brillante de la vida, algunas bellas cualidades que él tenía… Hasta acostumbraba traerle algunas flores y hojas bellas, mostrándole qué magníficas eran. Solía hablarle de héroes que dieron alegría a la gente.

Un día le encontré en el bosque tendido sobre su espalda, escuchando los cantos de los pájaros y contemplando los enormes árboles. «¿Qué estás haciendo?». le pregunté.

«Por primera vez descubrí que hay una inmensa alegría en la Naturaleza… ¡Quiero estar alegre!»

Este chico gradualmente se curó a sí mismo al comunicarse con la alegría de la belleza de la Naturaleza… y con música, danza y poesía.

Una de las grandes fuentes de alegría es la expansión de consciencia, a través de la cual el nivel de tu ser es elevado y desapegado de las diversas identificaciones de las naturalezas física, emocional y mental. Al expandir tu consciencia y ganar desapego de los elementos inferiores, elevas tu ser hacia un reino superior, más cercano a la Fuente de la alegría.

En cada paso que das para elevarte, absorbes mayor alegría e irradias mayor alegría. La libertad se gana sólo cuando tu consciencia está en el proceso de expansión y tu ser está en el proceso de elevación.

Debes seleccionar tus socios, amigos, esposas, esposos, novios e instructores entre aquellos que tienen alegría porque la alegría es una señal de que no son gente promedio. Si no tienen alegría, sé muy cuidadoso; pueden envenenar tu entorno. Las personas deprimidas crean siempre problemas alrededor de sí.

La depresión te conduce al fracaso, la separación y el conflicto, mientras que la alegría te conduce hacia el éxito. Sé alegre con tus amigos. Si tienes problemas, empieza a hacer algo humorístico o alegre; luego comienza a hablar sobre el problema. Verás que incluso antes de empezar a discutirlo, el problema ha desaparecido. Los problemas no pueden resolverse en la oscuridad de la depresión o la ira. Deben ser resueltos a la luz de la alegría. Por esta razón, un Gran Sabio dice: «La alegría es una sabiduría especial».

La mayoría de los seres humanos carece de alegría en sus hogares, escuelas, tiendas, fábricas y oficinas. Este es un error total. Sin alegría no podemos tener éxito ni prestar un servicio. En gran proporción, las personas tienen tensión, presión y temor en sus relaciones mutuas. Es por esto que, como una nación, no estamos avanzando como deberíamos.

Si visitas cualquier oficina pública y observas los rostros de los empleados que trabajan allí, estarás horrorizado. Muy a menudo, hay una enorme carencia de felicidad, respeto y cooperación. Una nación avanza si la alegría se esparce en los corazones de su gente. Trata inteligentemente de esparcir alegría, porque ésta eleva a tu nación, a tu familia y a tu grupo. La alegría impide que grupos, naciones e individuos avancen en la dirección equivocada. La alegría siempre te orienta en la dirección correcta, hacia el éxito.

Lo primero que la alegría logra es hacer que tengas éxito. Una vez, mientras servía en la Real Fuerza Aérea, me dijeron que escogiera un sargento entre diez candidatos. Uno de ellos se presentó en mi oficina y dijo muy fríamente: «¿Qué puedo hacer por usted, señor?».

Le contesté: «Retírese».

Otro candidato vino a mí y me dijo con alegría: «¡Buenos días! ¿No es un bello día?».

Le respondí: «Usted va a ser el sargento».

Cuando era niño y tenía tal vez tres años de edad, teníamos entre treinta y treinta y cinco pastores, muy altos y negros, trabajando para nosotros que habían venido del África. Teníamos cinco mil búfalos que ellos pastoreaban. Una vez por mes, los pastores regresaban a nuestro hogar de sus rebaños y en esas ocasiones, jugaban conmigo con mucha alegría. Yo estaba siempre esperándolos. Cuando venían, formaban un gran círculo y yo me convertía en su «pelota de fútbol». Me alzaban en sus manos y me lanzaban como un balón, de un hombre a otro, tal vez unas quince veces. Era una gran alegría volar sobre sus cabezas.

Un día yo estaba muy resfriado. Mi Madre me dijo: «No vas a salir de este cuarto. Debes quedarte en cama y tomar toda la medicina que te di». Mientras mi Madre se encontraba en otra habitación, mi hermanita vino y me dijo: «Vinieron los Negros».

«¡Caramba!». exclamé y, de inmediato, salté de la cama y corrí hacia donde se hallaban los pastores. Cuando me vieron, el círculo se formó. Yo tenía fiebre y estaba muy enfermo, pero estaba volando por el aire. Después de diez rondas, me hicieron sentar ¡y la fiebre se había ido! Mi Madre le dijo a los pastores:

«¿Qué han hecho? ¡Mataron al niño!». Ellos contestaron: «Él está bien. No hay nada malo». Ya no tenía más dolor ni fiebre. Habían desaparecido en mi extrema alegría.

Esto sucedió por segunda vez cuando yo tenía treinta y seis años. Estaba muy agripado y con fiebre muy alta y mi esposa me dijo: «Quédate en la cama». Entonces el cartero me trajo una carta de Alice Bailey. En la carta decía: «Te estamos integrando en un grupo especial de estudios avanzados». Después de leer esa carta, mi fiebre, mi jaqueca y mis dolores desaparecieron totalmente. Me levanté, me vestí y empecé a escribir y ordenar mis papeles.

Mi esposa entró y me dijo: «¿Estás loco?».

Le contesté: «No. Todo está bien. Mira esta carta». Aquella misiva me trajo toneladas de alegría, y la alegría me curó.

Busca alegría en tu vida, y trata de ver qué te está sucediendo cuando estás enfermo o tienes otros problemas. Si examinas los pocos días previos a tus dificultades, descubrirás que estuviste deprimido y carente de alegría. Al estar sin alegría es cuando contraes la enfermedad. Si estás cargado con la electricidad de la alegría, hasta puedes entrar donde los microbios se incuban sin que ellos te afecten. Pero si por un solo momento te sientes deprimido o lleno de lástima por ti mismo, atraerás a los microbios. Recuerda, la alegría te hace saludable y exitoso.

La alegría te hace victorioso. Conquistas obstáculos si tienes alegría. Debes entrar en la batalla con alegría. Un Sabio dice: «Amigos míos, tomad en vuestras manos la espada en nombre de la alegría». Debes entrar en la batalla con alegría. Con la palabra «batalla» no nos estamos refiriendo a la guerra ni a la destrucción de personas; nos estamos refiriendo a la batalla contra tus propios obstáculos, limitaciones e ignorancia, al igual que contra las situaciones y condiciones que te están enfermando y deprimiendo. Entra en cualquier tipo de lucha espiritual y moral con verdadera alegría, y verás cuán exitoso serás.

Había una vez un estudiante que reprobó tres o cuatro veces sus exámenes. Le pregunté: «¿Cómo das tus exámenes?».

Respondió: «Bueno, naturalmente ya estoy temblando cuando entro en la sala. Luego me siento asustado y enojado, y odio todo».

«¡Tienes víboras en todo tu entorno!», le dije. «¿Cómo puedes dar un examen con éxito?». Le di una o dos horas de ejercicios de imaginar que estaba entrando en la sala de exámenes con gran alegría y confianza. Al día siguiente, aprobó el examen que tenía que dar. Más tarde, me dijo: «¡Estuve realmente inteligente ese día!»

Supongamos que te han programado para una cirugía. Ve con alegría a la sala de operaciones y verás la diferencia que ello hace. Si te van a sacar una muela, no entres en pánico. Ríe y di: «Estas son mis muelas enfermas. Que me las extraigan. ¡Estoy muy alegre!». Crea diez o quince ejercicios antes de la extracción, viendo cuán alegre estás cuando te sacan las muelas. Te asombrarás de tu rápida recuperación. El dentista te dirá que la herida sanará en una semana, ¡pero estarás curado en un solo día! Estos son los milagros que pueden realizarse por medio de la alegría.

Si una hija o un hijo tuyo tiene problemas, no emplees la ira, el temor, el odio, los celos ni la venganza con ellos. Sólo usa la alegría. Habla con alegría, juega con alegría y verás cómo mejoran.

Cada vez que tu boca tiene mal aliento, es una indicación de que has atravesado una depresión y no estuviste alegre. Empieza a alegrarte y tus glándulas limpiarán todo. El cuerpo se normalizará cuando tengas alegría. La alegría hace esto porque estar alegre significa estar realmente en tu ambiente natural. Eres en tu esencia, alegría. No olvides esto.

Si comparas los rostros de cinco personas, aquellas que no tienen muchas arrugas y se ven brillantes y radiantes son las que han tenido más alegría en su vida. Las arrugas se encuentran en las caras de quienes han pasado por tribulaciones, sufrimientos y dolor, sin el secreto de la alegría.

En el futuro, los Juegos Olímpicos van a utilizar estos conceptos. Antes de que los atletas sean aceptados en las Olimpíadas, pasarán por un proceso de cargar sus sistemas físico, emocional y mental con alegría. Cuando tengan alegría, sobresaldrán en los diversos eventos.

Una vez, uno de mis amigos, violinista muy talentoso, se enamoró súbitamente de una muchacha. «Enamorarse es peligroso, especialmente para los violinistas», le dije. Él me contestó: «No, yo amo a esta chica».

Al día siguiente, él iba a dar un importante recital. Preguntó: «¿Mi novia está aquí?».

«Sí», le contesté, «está sentada detrás. Pero no quiere que la veas». (Yo estaba mintiendo).

«Está bien», me dijo.

Durante la primera parte del recital su ejecución fue magistral. Justo antes de la segunda mitad, preguntó: «¿Dónde está ella? No vino a verme en el camerino durante el entreacto».

«Ella no está aquí; olvídalo», le dije.

Durante toda la siguiente parte, su ejecución estuvo carente de vida y desafinada. Cuando terminó el programa, él se dirigió al camerino, tomó su violín y lo destruyó. En un momento en el que su alegría desapareció, destruyó su violín. Jamás volvió a tocar el violín. Aquella muchacha lo destruyó o, mejor dicho, él se destruyó a sí mismo porque la chica tuvo un problema y no vino a su recital ese día.

La alegría es importante para tu vida, pero muy pocas personas hablan de su importancia. Si estás alegre, conocerás todo lo que quieras conocer, porque Dios opera por medio de la alegría. «Os doy mi alegría», dijo Cristo. ¡Qué frase tan secreta es ésta, si realmente entiendes lo que Él quiso decir!

4

¿CÓMO INCREMENTAMOS NUESTRA ALEGRÍA?

Cuando prestas un servicio a alguien sin expectativas, incrementas tu alegría. Dar, no recibir, incrementa tu alegría. Recibir incrementa tu felicidad, pero no incrementa tu alegría cuando estás recibiendo. Da algo, y verás cómo tu alegría se incrementa.

Las personas más miserables son aquellas que son codiciosas. La codicia se da cuando tú tienes, tienes y tienes, hasta que sufres con el dolor del miedo, del odio y del separatismo. Empieza a dar, e incrementarás tu alegría.

Un día, un hombre de ochenta y dos años de edad donó doscientos millones de dólares para la investigación científica. Después de dar el dinero, dijo: «Me siento alegre por primera vez en mi vida». Esto estuvo bien, pero no esperes tener ochenta y dos años para empezar a dar. Empieza hoy a ayudar a los demás. Da y sirve a la gente, e incrementarás tu alegría.

Un día, me pidieron que visitara a una pareja en su hogar. El hombre me dijo: «Esta mujer es detestable». Y la esposa me dijo: «Él es como una mula. No podemos vivir juntos».

Fui a la cocina a tomar un vaso de agua. No quería que su irritación viniera a mí, así que me serví yo solo. La cocina estaba muy sucia y desordenada. Le dije a la mujer: «¿Usted no limpia la cocina?». «No, que mi marido se encargue de traer una sirvienta», dijo ella.

«¡Caramba!», pensé, «he aquí el origen de esta desdicha». Cada uno estaba esperando que el otro le sirviera. Me dirigí a la otra habitación y le dije al hombre: «Si usted quiere salvarse, empiece a limpiar la casa y muéstrele a ella cuánto es usted capaz de dar».

Esto funcionó. Un mes después, la mujer me dijo: «Supongo que soy yo quien debe limpiar la casa, no mi marido». «¡Ah!», dije, «ahora las cosas estarán yendo mejor y mejor». Todavía siguen juntos.

Sirve a tu marido; sirve a tu esposa, y llevarás felicidad a tu hogar. Las hijas y las madres deben servirse entre sí. Por ejemplo, la madre le dice a su hija: «La cocina debe limpiarse». «No mamá, estoy mirando televisión», dice la hija. Esa madre va a estar un poco «amargada» interiormente. Su negatividad puede ir en aumento y convertirse en odio, separatismo y rechazo. De estas maneras, el envenenamiento del hogar comienza.

Podemos ver que la alegría es la energía más eficaz que cambia nuestras vidas, individualmente, en la familia y en grupos. La alegría pone las cosas en la condición correcta, y en estas condiciones correctas te sientes feliz, alegre, y a veces dichoso.

Por ejemplo, si llevas a cabo una investigación en manicomios o cárceles, verás que los internos que padecen las más graves enfermedades y fallas físicas, emocionales y mentales son los que provienen de hogares con aflicción, conflicto y dolor. Algunos hijos pueden reaccionar y cambiar la situación, pero la mayoría de ellos no lo consigue. Cuando los padres son muy alegres, cargan las «baterías» –todo el sistema– de sus hijos. De este modo, los hijos llegan a ser adultos exitosos.

Es momento ahora de incrementar la alegría, que es lo contrario de la depresión, el dolor y la fealdad, para que equilibres y superes a la negatividad y empieces una vida nueva en alegría.

La dicha, la alegría y la felicidad existen dentro de ti. No tienes que buscarlos fuera. Por ejemplo, podrías decir: «Quiero ser feliz, por lo que desearé un auto caro, un palacio o un millón de dólares». Día y noche deseas las cosas que piensas que te harán feliz; atraviesas estrés y tensión, y después sufres un ataque cardíaco y mueres. Esta no es la felicidad a la que nos estamos refiriendo.

La felicidad es una condición interior, un estado de consciencia interno; un sentimiento interno. Digamos que no tienes mucho dinero, pero cuando miras la belleza de las flores y aprecias la hermosura de la Naturaleza, te sientes feliz y alegre. La felicidad, la alegría y la dicha se hallan dentro de ti. Lo único que necesitas hacer es sacarlos al exterior y manifestarlos. La búsqueda de la alegría, la felicidad y la dicha fuera de ti mismo te conduce en la dirección equivocada. Libera tu Ser Verdadero, y serás inundado de alegría, dicha y felicidad.

La primera manera en que puedes incrementar tu felicidad, tu alegría y tu dicha consiste en prestar un servicio sacrificado a los demás. Las personas más sacrificadas, como Cristo, Buda, Krishna, Confucio y Lao-Tsé, sufrieron siempre, pero al mismo tiempo estuvieron alegres. ¿Cuál fue Su secreto? Mediante el servicio sacrificado, Ellos liberaron el Centro Interior e inundaron Sus sistemas con las energías de ese Centro Interior – el Ser Interior, la Divinidad Interior, la fuente interior de la creatividad.

Un artista se siente muy feliz cuando crea, porque libera la alegría creadora que existe dentro de él. La alegría debe buscarse dentro de uno mismo.

El esfuerzo hacia la belleza es la segunda manera en que puedes incrementar tu felicidad, tu alegría y tu dicha. El esfuerzo hacia la belleza es un estado de consciencia, un estado de percepción y un estado de apreciación y goce de la belleza que comienza a liberar la alegría dentro de ti.

En cualquier momento en el que estés un poco deprimido o abatido, piensa en algo bello y verás lo que sucederá. La alegría aumentará y superará la desdicha que tienes. Cuando sobreviene alguna dificultad, no la enfrentes con ira, odio y venganza; primero, alégrate.

Los amigos del gran magnate regente, rey Akbar, le dijeron un día: «Rey Akbar, descubrimos dos viles víboras que son enemigos tuyos». Él les contestó: «¡Estoy tan feliz! Ahora tengo una oportunidad de demostrar mis máximos poderes creativos para vencer a estos enemigos». Al declarar esto, él ya había vencido los obstáculos.

El primer paso en el esfuerzo hacia la victoria es la aceptación alegre que hay problemas por resolver. Entonces, porque tienes la confianza para resolverlos, te alegrarás de que haya problemas y de que tengas la oportunidad para demostrar tu habilidad para resolverlos.

El esfuerzo hacia la síntesis es la tercera manera de incrementar tu felicidad, tu alegría y tu dicha. Esforzarse hacia la síntesis significa tomar muchas, muchas cosas inconexas y construir un concepto total a partir de ellas. Por ejemplo, tres opiniones son totalmente diferentes. ¿Puedes relacionarlas de modo que juntas tengan sentido y ofrezcan la solución para el problema? Si haces esto, verás cuánta alegría sobrevendrá y manará de tu Centro Interior.

Cristo dijo algo muy misterioso: «Bienaventurados sean los pacificadores». La paz es el secreto de armonizar dos cosas opuestas y contradictorias. Cuando eres pacífico, no hay en ti partes en conflicto. Una nación es pacífica cuando en ella no hay divisiones. Haz la paz contigo mismo. Cuando hagas la paz en tu interior, sentirás alegría y te sintetizarás.

Sintetizar significa componer una sinfonía con muchos centenares de notas. Juntas las notas de modo tal que el sonido es sinfónico, sintetizado. La síntesis te lleva a la alegría. El separatismo y el divisionismo te llevan a la desdicha.

Si estás peleando con tu novio, novia, socio o cualquier otra persona, eres desdichado. Pero si creas síntesis, paz y comprensión, eres feliz. Al incrementar la alegría de otros, incrementas tu propia alegría.

Haz felices a los demás y serás feliz. No te hagas feliz a costa de la felicidad de otros. No bases tu felicidad en tu dinero, posición o posesiones; más bien, deja que el cimiento de tu felicidad y alegría sea tu Centro Interior. Da más alegría a los demás y estarás más alegre.

La luz es el resultado del contacto entre la alegría y la materia. Cuando la alegría entra en contacto con tu cuerpo, crea felicidad. Cuando entra en contacto con tu cuerpo mental, crea luz. Por esta razón, cada vez que tienes más luz, tienes más alegría.

Por ejemplo, digamos que resolviste un difícil problema de matemática. ¿Estuviste más alegre? Por supuesto. Esto sucedió porque se creó luz cuando la alegría estuvo en contacto con tus formas mentales, pensamientos, y con el cuerpo mental.

Vas a despertar al gigante que está dormido dentro de ti. Este gigante es la alegría, y no se lo puede liberar mientras estés mendigando alegría de fuentes externas. Recuerda siempre que la alegría aumenta cuando la das a los demás. Puedes dar alegría expandiendo la consciencia de la gente, o prestándoles un buen servicio, o levantando su ánimo mediante la sabiduría y la Enseñanza.

En una ocasión, Cristo fue abordado por sus discípulos quienes le dijeron: «Maestro, cuando mueras, no te olvides que queremos ser generales y estadistas en Tu reino».

Y Cristo les contestó: «En Mi reino, los recordaré».

Porque Él es Rey, recordará a los discípulos. Luego Él dijo: «El reino de Dios está dentro de ustedes». Quiso decir que el «Rey» se halla dentro de ti. Si quieres ser un rey, búscalo a Él.

La alegría se halla dentro de ti. Esto es lo que debes comprender.

5

LAS SIETE CUALIDADES DE LA ALEGRÍA

La energía de la alegría tiene siete cualidades:

1. **La alegría es una energía regeneradora.** Regenera todo tu sistema físico, emocional y mental. Curando te sientas un poco débil, empieza a pensar en la alegría y verás lo que sucederá.

2. **La alegría es una energía purificadora.** Purifica tu mente, tus emociones y tu cuerpo. ¿Te has dado cuenta que las personas suelen contar chismes cuando están deprimidas, negativas o enfermas, o cuando tienen complicaciones en sus vidas? Jamás vi una persona alegre desparramando chismes. Cuando la gente está alegre, no quiere oír chismes. Suelen decirle al chismoso: «Eso no es un problema; yo amo a esa persona». A un elevado estado de consciencia no le gusta oír chismes.

3. **La energía dispersa las nubes de la atmósfera mental, emocional y física.** Dispersa tus preocupaciones, ansiedades, pesar, codicia, etcétera, tal como el Sol dispersa las nubes y tienes un día soleado. El Sol Interior, la Divinidad Interior dentro de ti cuya naturaleza es la dicha, dispersa las nubes.

4. **La Enseñanza de la Sabiduría Eterna trae alegría a las personas porque extrae sus almas de la vida común y corriente en la que están apegadas a los objetos transitorios de placer.**

Por otra parte, algunas personas ven un fenómeno misterioso. Observan que, a medida que se internan más profundamente en la Sabiduría Eterna, sus vidas entran en una turbulencia en la cual, en vez de aumentar su depresión, aumenta su alegría. La razón para esto está en que la Enseñanza extrae todas las represiones ocultas y las libera hacia la superficie de tu vida.

A veces, llega un momento en el que ves cuán miserable eres y cuán desvalido estás para afrontar tu vida. Pero también sientes la presencia de la alegría en tu vida. Esta condición puede durar una vida o muchas vidas, o con suerte, sólo unos pocos años. Si lo que ocurre es esto último, sería muy beneficioso que:

a. Te abstengas de relaciones sexuales.
b. Realices trabajo físico pesado, carrera, natación o montañismo.
c. No medites ni estudies.
d. Hables lo menos posible.
e. Pienses mucho en la alegría.

La alegría es muchas veces llamada «el libro de la vida de los conquistadores». Observa cómo la estructura externa de tu antigua vida es borrada, y date cuenta que es debido a la remoción de la vieja estructura que tu belleza interior surge triunfante y en gran alegría.

5. La alegría expande tu campo de energía. Expande tus emociones positivas. Cuando estás alegre, saltas a abrazar a los demás. Cuando no tienes alegría, te quedas sentado como una bolsa de papas.

La alegría expande tu mente y tus habilidades creativas. Cuando estás alegre, creas la mejor danza, la mejor pintura, la mejor música. Si estás afligido, tu mecanismo creador se paraliza. Si vas a dar una conferencia, no permitas que nadie te dé malas noticias antes de que hables. Cuando recibes malas noticias, te desinflas como si te pincharan una llanta. Pídele a alguien que te diga algo muy bello. Entonces, cuando empieces tu conferencia, verás cómo ésta mejora.

Esto lo comprobé. Una vez, yo estaba preparando un seminario, cuando un hombre me contó un hecho muy trágico. Llegué a la sala de conferencias muy deprimido y sobresaltado. Finalmente, dije a mis amigos y equipo de trabajo: «Nunca me den malas noticias antes de que yo dé una conferencia o un concierto. No quiero que nadie me dé noticias negativas en esas ocasiones, porque eso me abate».

Si tienes amigos que realmente te comprenden, puedes ser un artista creativo, un talento, un genio. Debes tener tres o cuatro personas a tu alrededor que te mantengan de buen humor antes de tu presentación; entonces verás cómo floreces.

Había una vez una muchacha que era una violinista muy talentosa. Siempre que iniciaba sus prácticas, su madre solía decirle: «¡Dios mío, otra vez el violín!» Toda la familia acostumbraba decirle, cuando ella comenzaba a ensayar: «Sé breve». Eventualmente ellos mataron su talento. Ella necesitaba tres o cuatro personas llenas de esperanza y alegres, cerca de ella, animándola en vez de desear no tener que escucharla.

La alegría expande tu consciencia. La expansión de la consciencia es muy importante porque eres igual a tu consciencia. La alegría expande tu consciencia y tu comprensión.

La alegría anima. La pesadumbre desanima. La pesadumbre desarrolla celos y desánimo. Si estás bailando, la pesadumbre dice: «¿Y qué? No es muy bueno. Otros pueden hacerlo mejor que tú». Esta es la psicología opuesta a la alegría, y puedes verse por todas partes.

6. La energía de la alegría hace que las cosas se desenvuelvan. Puedes provocar desenvolvimiento, desarrollo y expansión en las personas a través de la alegría.

7. La alegría es una energía ardiente. Quema las impurezas en tu sistema físico, emocional y mental. El sabio D.K.[7] dice: «La humanidad ha vivido hasta ahora una vida de sufrimiento y dolor. Pero Dios está enviando nuevos mensajeros quienes, en lugar de predicar y hablar sobre el sufrimiento, el dolor y la crucifixión, hablarán sobre la alegría, la felicidad, la dicha y la resurrección». La Enseñanza debe basarse en la alegría y la resurrección, no en la crucifixión. Cristo estuvo crucificado sólo por dos o tres horas, pero lleva resucitado ya miles de años. ¿Por qué la gente está hablando todavía de la crucifixión en vez de hablar de la resurrección?

El Espíritu es resurrección. El cuerpo puede ser crucificado, pero no el Espíritu. Es mejor empezar a ver estas cosas bajo una nueva luz. La belleza es la formulación de la alegría y la dicha.

Las enseñanzas de la antigüedad hacen hincapié en la culpa. La culpa es la identificación con tus errores y fracasos. Si tienes alegría, nunca te identificarás con los fracasos.

Una vez, un chico rompió un gran jarrón. Debido a que estaba muy alegre, empezó a bailar alrededor del jarrón, diciendo: «¿Qué importa?» No estaba identificado con el error que había cometido porque él estaba alegre. Si ese chico no hubiera estado alegre, se habría sentado y se habría puesto a llorar, diciendo: «Mamá me va a pegar...»

¿Por qué no estás viendo a Dios en cada ser humano? Eres muy bello, incluso con todos tus errores, porque Dios dentro de ti va a conquistar esos errores. Te estás desarrollando; por lo tanto, ¿qué importa si en el pasado cometiste errores?

7. Acrónimo de Djwhal Khul, el Tibetano (*N. del T.*).

6

LOS OBSTÁCULOS DE LA ALEGRÍA

Hay muchas condiciones que dificultan la alegría. Son las siguientes:

1. El separatismo crea obstáculos a la alegría. Si eres separatista, estás contra Dios. Cada vez que eres separatista, la alegría desaparece de ti. Cuando estés realmente alegre, empieza a pasar chismes y verás cuán desdichado estará tu corazón. Cuando estés alegre, roba algo y serás desdichado. Cuando estés alegre, haz algo que sea injusto y verás que la alegría se evapora de tu corazón.

Si unificas y sintetizas a las personas, tu alegría aumentará. Si divides a las personas, tu alegría desaparece.

2. La vanidad trabaja en contra de la alegría porque la vanidad es una labor para construir una falsa imagen dentro de ti. La vanidad es suponer que tienes muchas cosas que no tienes, que sabes muchas cosas que no sabes y que haces muchas cosas que no puedes hacer.

La vanidad trabaja en contra de la alegría. Por ejemplo, si tienes ideas preconcebidas y supersticiones, o si te adoctrinaron y te lavaron el cerebro, no querrás cambiar ni orientarte hacia la realidad. En ese caso, la alegría no permanecerá dentro de ti. Pero si te ves cómo eres y si puedes expandir tu consciencia para ver la realidad y tratas de mejorar, tu alegría aumentará.

3. El ego está en contra de la alegría. El ego dice: «Yo soy importante; tú no lo eres. Todos deben adorarme. Yo soy la persona más importante». El ego es muy susceptible. Basta que alguien «toque» tu ego para que le duela. Deja al ego en paz porque bloquea la corriente de la energía de la dicha.

4. La presunción es un obstáculo para el flujo de alegría y dicha. Presunción significa fingir que eres algo que tú no eres. Cuando haces esto, sientes olas contradictorias dentro de ti que luchan unas contra otras. Tu consciencia dice: «Tú no eres», mientras tu mente fabrica: «Tú eres». Esto crea divisiones dentro de ti, y no puedes tener alegría cuando estás dividido internamente.

5. La hipocresía es el peor enemigo de la alegría. Los hipócritas son las personas más infelices. Por supuesto, todas las personas poseen algún grado de hipocresía, pero deben tratar de vencerla.

En la Enseñanza, la hipocresía es condenada como un gran obstáculo que deja al hombre privado de tener contacto con los Mundos Superiores. La hipocresía es una forma de actuar, imitar y fingir. Esos esfuerzos construyen una barrera entre la persona y el mundo de la alegría. Esta barrera crece hasta alcanzar tal dimensión que desvía todos los rayos de contacto con los Mundos Superiores, o todos los rayos que llegan del mundo de la esencia y la alegría.

Un hipócrita deforma la realidad a través de su personalidad, y no puede entrar en contacto con la realidad por medio de su esencia. Su esencia permanece pobre, y su personalidad dirige el espectáculo. Eventualmente, su personalidad se convierte en él (la esencia), y su esencia se seca por completo. Por eso decimos que un hipócrita se suicida al traicionar su esencia, la fuente de su alegría.

Puedes ver «actores» en todos los niveles de la sociedad humana. Son estas personas que ocupan sus posiciones para evitar que las personas calificadas transmitan la realidad a la sociedad. El lugar más activo de los «actores» se encuentra en la religión. La religión no podría causar una transformación real en este mundo debido a los hipócritas de muchos colores.

Es fácil actuar como si representáramos a un Gran Ser, pero es inmensamente difícil alejarse de la hipocresía y ser un verdadero transmisor de la Enseñanza de un Gran Ser a través de una vida vivida de acuerdo con la esencia de la Enseñanza. La alegría fluye a través de una persona que es sencilla, directa y verdadera.

6. La venganza, la codicia, el odio, el temor, la ira y los celos son todos enemigos de la alegría.

7. Hay también cinco enemigos físicos que socavan tu alegría: la contaminación, la polución, la acción errónea, la acción dañina y la acción destructiva. Si tienes alguna de estas cosas, no puedes tener alegría. Mantente alejado de estos enemigos.

La alegría aumenta a través de la fe. Incrementa tu fe, tu confianza, tu inclusividad, tu sinceridad, tu sencillez, tu pensamiento claro y tu rectitud. Medita, observa y disciplínate. Así es como puedes cultivar el jardín de la alegría.

La paz y la tranquilidad incrementan tu alegría; sé pacífico. La inofensividad acrecienta tu alegría. Cada vez que ejecutas un acto dañino física, mental o emocionalmente, tu alegría se evapora. La aspiración incrementa tu alegría. La aspiración es un impulso hacia a un estado superior de sentimiento, disfrute y experiencia. La devoción incrementa tu alegría. En la devoción, enfocas todo tu corazón en una gran belleza.

La salud incrementa tu alegría. Si no estás sano, pierdes tu alegría. El dinamismo y el entusiasmo acrecientan tu alegría. Si estás lavando tus platos con odio y cólera y los estás maldiciendo, tu alegría se evapora. Pero si estás trabajando con entusiasmo, incrementas tu alegría. El trabajo, la acción correcta, el sueño apropiado, la relación sexual correcta y la dieta adecuada incrementan tu alegría.

7

CÓMO USAR LA ALEGRÍA

El primer modo de usar la alegría es por medio de tus pensamientos. No permitas que se forme o construya en tu mente ningún pensamiento que no sea alegre. No admitas ningún pensamiento que no sea optimista o que no expanda tu esperanza y tu futuro. Cada vez que construyes un pensamiento carente de alegría o negativo en tu mente, tienes un «gusano» o una filtración allí. Por ejemplo, si vas a crear un nuevo negocio, una obra de arte o cualquier cosa creativa, no pienses: «¿Qué ocurrirá si no tengo éxito? ¿Y si fracaso? ¿Y si las cosas salen mal?...».

La alegría puede diseminarse a través de tus pensamientos. Los pensamientos alegres transportan cantidades tremendas de la carga de alegría, capaces de transformar tu negocio, tu futuro y tus planes, al igual que los planes de terceros. Tal vez el ochenta por ciento de tus pensamientos no sean alegres. Son sombríos, tristes, dolorosos y centrados alrededor de fracasos, luchas, odio, venganza, etcétera. No abrigues estos pensamientos negativos. Para aprender cómo prevenir pensamientos negativos, debes simplemente empezar a prevenirlos. Empieza a aprender a hacer que tus pensamientos sean pensamientos alegres.

Trata de observarte hoy, mañana, el próximo año y por el resto de tu vida. Observa si puedes cambiar tus pensamientos negativos a pensamientos positivos y alegres. Por ejemplo, digamos que conoces a una persona que hizo o dijo algo que te hizo enojar. Pones en marcha el motor de los pensamientos negativos, el cual produce gases de escape tóxicos. Trata de detener este proceso inmediatamente y di: «¿Puedo pensar bien de él o ella?». Piensas que los pensamientos negativos van a herirte y que de esta manera puedes vengarte. Pero antes de que los pensamientos salgan de tu mente, ya han contaminado tu propia aura. Tus pensamientos negativos te dañan antes de que ellos dañen a la otra persona.

Por esta razón, algunas iglesias usan afirmaciones. Las afirmaciones son mecánicas, pero pueden ayudar a modificar el rumbo de los pensamientos. Si tienes pensamientos negativos, ellos deforman el mecanismo mental porque son venenosos. La energía mental no es negativa ni positiva; es energía indiferente.

Cuando el proceso de pensar comienza, es tu motivación la que causa que la energía construya formas que son venenosas o regenerativas. Antes de pensar, di: «Este pensamiento va a ser un pensamiento muy sano y bello». Los pensamientos feos son una de las causas de tu derrota. Los pensamientos negativos, venenosos y carentes de alegría preparan tu derrota.

Los pensamientos positivos, correctos o bellos son pensamientos alegres. La alegría es una energía espiritual. Si tus pensamientos están cargados de alegría, serán pensamientos invencibles, victoriosos y potentes. Nutrirán tu cuerpo mental, tu cuerpo físico y tu aura. Estos son los secretos de la Naturaleza, pero la gente no habla de ellos.

Te preocupas y dices: «¿De qué enfermedad moriré? ¿Voy a tener un accidente? ¿Qué me sucederá? ¿Tengo cáncer ahora?». Todos esos pensamientos están circulando en tu mente. Mátalos con pensamientos alegres. Trata de empezar a pensar lo contrario, y di: «Sabes, voy a vivir una vida muy larga, feliz y sana. Seré muy bella o bello. Soy puro, soy inteligente…». Cuando haces esto, el sistema eléctrico de tu cuerpo empieza a marchar en velocidad positiva en vez de hacerlo en velocidad negativa.

Te estás matando o te estás poniendo en forma. Tú eres quien se está matando; tú eres quien se está sanando a sí mismo. Si tienes negatividad o eres pesimista, estás envenenando la atmósfera en la que estás viviendo.

Ten planes alegres. Nunca planifiques algo que sea doloroso y cause daño a otros. Crea planes inofensivos y alegres. Por ejemplo, di: «Voy a planificar algo bueno. Cuando mi esposo llegue a casa, voy a tener preparada una agradable cena, con flores en la mesa. Voy a usar palabras positivas». Si eres marido, debes planificar cómo hacer felices a tu esposa y a tus hijos.

Cuando empiezas a planificar cosas constructivas, inofensivas y bellas, nutres tu mecanismo mental con energía de la alegría. Así es como te vuelves más inteligente. Los planes venenosos son dañinos para tu inteligencia. Aunque una persona sea enemiga tuya, planifica algo bello cuando te encuentres con ella. Crea siempre alegría y planes que la produzcan. Tu mente debe emprender una nueva «marcha» a fin de entender estas ideas.

Trata de encarar la realidad con alegría. Trata de descubrirte y descubrir todo sobre ti mismo con alegría. Cualquier evento o situación que te revele tu naturaleza, deberá ser un momento de alegría.

Cuando te enfrentes a ti mismo con alegría, no te identificarás con tus equivocaciones y errores; no construirás una imagen fea de ti mismo en tu consciencia. En lugar de ello, te elevarás al nivel del observador — sin identificarte.

Si tienes un puesto de liderazgo o enseñanza, no necesitas usar la ira ni el temor para corregir la conducta de las personas.

Puedes usar la alegría, dejándole saber a las personas que es una gran ventaja que conozcan sus propios defectos, de modo que se utilicen a sí mismos de una mejor manera para la supervivencia, el éxito y el servicio. Cada vez que impones tu fealdad, tu dolor y tu sufrimiento sobre los demás, preparas terroristas alrededor de ti.

Si quieres instruir a las personas en la Enseñanza Superior, primero hazlas que te amen. Después de que te amen, no tendrás dificultad en enseñarles; ellas te aceptarán. Por ejemplo, no hagas planes para dañar o destruir a la gente. Por el contrario, haz cosas buenas para ellos. Una vez aconsejé a una mujer sobre su relación con su marido. Ella lo odiaba y él la odiaba. Habían estado viviendo así durante cinco años. La mujer me dijo: «Sabes, ahora tengo dos abogados. Voy a apretarle las clavijas a ese hombre»

«¿Cuánto dinero va a gastar?», le pregunté.

«¡Oh!», dijo ella. «Por lo menos cinco mil dólares».

«Usted puede hacer eso gastando sólo unos pocos dólares», le dije.

«Muy bien», me respondió, «dígame cómo puedo hacerlo y le escucharé».

«¿Qué es lo que a su marido más le gusta?», le pregunté.

«Le gusta mucho la carne a la brocheta, el vino, la ropa…».

«Muy bien», le dije, «se acerca su cumpleaños. Tome esas cosas y prepárele una fiesta, y verá lo que sucederá».

Ella lo hizo y el hombre cambió. Ahora se adoran. Muestra amor y alegría; entonces «ganarás» sin necesidad de juicios. Pero debes siempre ser sincero.

Envía regalos. De este modo quiebras toda oposición. Pero no solemos hacer esto. Usualmente empezamos con ataques negativos y añadimos más ataques negativos. Después, gastamos dinero, dinero, dinero para pelear con los demás.

Con estos métodos no hay resultados positivos. Por esta razón, un Sabio dice que no hay que combatir a los enemigos con los mismos modos y medios que ellos usan. Si tú me odias, no puedo crear una relación correcta contigo devolviéndote odio. En lugar de ello, debo amarte para que yo transforme tu odio en amor. Pero debe ser un amor inteligente, bueno y equilibrado. Si nos odiamos mutuamente, derrochamos dinero, tiempo y energía. Recuerda, la alegría resuelve los problemas.

No es fácil entender la total intensidad de este tema de inmediato, pero aquí y allá puedes ver que tu mente empieza a usar la alegría en los momentos de problemas. Si usas la alegría para resolver tus problemas, éstos se resolverán. Por ejemplo, cuando una hija de mis cinco hijos solía necesitar dinero, ella siempre acudía a mí y me lo pedía alegremente, y yo se lo daba. Incluso solía darle más de lo que ella me pedía.

Tus acciones deben ser alegres. A la gente no le gusta estar alrededor de aquellos que maldicen mientras trabajan, con gestos negativos y expresiones negativas. Quieren estar con gente que trae alegría a su trabajo y a sus hogares.

Una vez, en un restaurante, yo estaba sentado frente a un hombre joven y su novia. Ambos estaban muy tensos. El mozo trajo la comida, pero sirvió a uno el plato del otro. La mujer empujó el plato hacia su novio, diciéndole: «¡Aquí tienes el tuyo!». Y él hizo lo mismo con ella. Ambos continuaron con su cena como si fueran a atacarse mutuamente. Era venenoso mirarlos.

Trata de actuar con alegría, no sólo por el bien de los demás sino también por el tuyo propio. Conozco a muchas personas que maldicen mientras planchan la ropa de su familia. Un día, visité la casa de una señora y la encontré planchando diez o quince camisas. Estaba cantando, y mientras tanto, leía un libro. Me dijo que frecuentemente leía libros inspiradores mientras planchaba.

Vístete alegremente. Cuando te vistas, ponte la ropa con alegría, no con irritación. Si observas tu cara y la cara de los demás cuando hablan y se mueven, verás mucha tristeza, negatividad, tensión y agobio. ¡Procura liberarte de estas cosas! De este modo, creas una atmósfera en la que puedes respirar.

Trata de usar la alegría en tu familia, con tus amigos, con tu jefe y con tus colaboradores. Procura trabajar con la magia de la alegría. La alegría es la llave del éxito.

Una vez, durante un vuelo a Europa, encontré un grupo de azafatas que eran muy negativas. Cada vez que pedíamos algo, decían: «¡Sí, ya va!». Todos en el avión sentían la tensión. La siguiente vez que viajé, lo hice con otra línea aérea. Después de estar doce horas en el aire, las azafatas ni siquiera estaban cansadas: estaban alegres y dinámicas. Al retirarme, le dije al capitán: «¡Esta línea aérea es la mejor porque en ella hay alegría!». Él se sintió muy orgulloso.

Alguien debería escribir a los ejecutivos y gerentes de las líneas aéreas para decirles que la mejor manera de mejorar su negocio es enseñarle a su personal a diseminar alegría.

M.M. dice: «Cuando recibimos una carta, la psicologizamos». Hay un aparato eléctrico especial que, cuando se coloca sobre textos manuscritos, los proyecta sobre una pantalla. Ese aparato revela cuánta energía ha depositado el autor en su carta. Algunas cartas están muertas y dan una medida bajo cero. Otras cartas están fantásticamente cargadas con energía psíquica.

Cada vez que escribas una carta, trata de poner energía psíquica en ella. La energía psíquica es la energía del amor y la energía de la alegría combinadas. Escribe tus cartas con alegría y amor, y verás lo que sucederá.

Un día, yo estaba muy deprimido cuando llegó una carta de una niña de once años. Ella decía: «Piensas que nadie te ama, pero Cristo te ama y yo también». Todo cambió de repente. Tomé esta carta con mucha seriedad porque estaba escrita a mano y ella realmente lo decía en serio. Pon alegría en todo lo que hagas - al escribir, pensar, sentir, tocar, abrazar y dar un firme apretón de manos. A veces estrecho la mano de algunas personas cuyas manos se sienten casi muertas porque en ellas no hay energía.

Otra cosa muy importante es enviar diariamente alegría a tu cuerpo. Temprano por la mañana di: «Este cuerpo va a trabajar todo el día en condiciones fatigosas y exigentes — en medio de esmog, ruido, venenos, autopistas, luces rojas, etcétera. Déjame cargar este cuerpo». Luego, cierra los ojos y llena tu cuerpo con energía de alegría, y te irá mejor durante todo el día.

A continuación, llena de alegría tus emociones. Di: «Hoy, todas mis emociones van a ser alegres. No voy a aceptar ninguna emoción de fracaso, negativa o dolorosa. Todas mis emociones deben ser alegres». Por supuesto, vendrán momentos en los que tus emociones te retarán. Cuando te suceda esto, di: «¡Oye, detente! Desde temprano prometí tener emociones y pensamientos realmente buenos, y voy a cumplir mi promesa». Temprano por la mañana, carga tus cuerpos físico, emocional y mental con la energía de la alegría.

Uno de los secretos de la alegría consiste en que todo éxito está basado en el magnetismo. El magnetismo atrae hace ti al hombre apropiado, la mujer apropiada, los colaboradores correctos, el jefe adecuado, el abogado adecuado, el doctor adecuado, el dentista adecuado. El magnetismo es el resultado de la alegría. Nadie puede ser magnético a menos que tenga alegría. Por lo tanto, lo primero que has de hacer al comenzar el día es cargar tu cuerpo, tus emociones y tus pensamientos con alegría. Durante todo el día vas a irradiar alegría y crear magnetismo. Este magnetismo te hará exitoso en la vida.

Si tienes un problema con alguien, no te encuentres con esa persona con irritación, cólera u odio. Primero, llena tu ser con alegría y optimismo. Después, di unas pocas palabras buenas en relación a tu modo de ver las cosas. Luego aproxímate al problema con alegría, respeto y sencillez. Estarás asombrado de la diferencia que ello hace. ¿Puedes imaginar a Cristo marchando a la crucifixión con pesar? Él estaba muy alegre porque todo estaba teniendo lugar de acuerdo con lo planeado.

Carga cada objeto que estés usando con alegría. Sostén tu lápiz y pon en él la electricidad de la alegría. En el futuro, los científicos descubrirán que la vibración de la alegría todavía existe en esos objetos. Los sedimentos de alegría y aflicción existen siempre en los objetos que usas. Por ejemplo, alguien te da un lápiz y durante los cinco días siguientes, estás muy incómodo. Entonces descubres que ese lápiz fue usado negativa y destructivamente, y ahora está creando muchos tipos de perturbaciones en tu sistema eléctrico. Debes tirar ese lápiz.

Recuerdo que una vez una señora me dijo: «Hace un mes que no tenemos paz en casa. Alguien me dio un objeto verde, una pieza de jade, y entonces empezaron nuestros problemas».

«Quién se lo dio?», le pregunté.

«Un médium», me contestó.

«Ah», le dije, «tire ese jade y su casa estará bien».

Recuerda que tu magnetismo y tu electricidad se acumulan en todo lo que tocas. Así es como los gatos y perros pueden encontrarte. Eventualmente, máquinas especiales podrán ubicarte por tu frecuencia, no por tus impresiones digitales. Las máquinas registrarán tu frecuencia al examinar un objeto que tocaste.

Es importante cargar todo con alegría. Hay una hermosa ceremonia en la Iglesia armenia que no he visto en otras iglesias. Antes del servicio, el sacerdote ingresa en un recinto especial en el que se pone las vestiduras. Primero toma una camisa blanca y dice: «Que la alegría del Señor esté en esta camisa para que yo la use como una victoria de las Fuerzas de la Luz...». Después se pone el siguiente artículo y pronuncia otra plegaria y bendición. A medida que se va colocando las vestiduras restantes, las carga con alegría, bendiciones y dicha. Finalmente, se pone las zapatillas y dice: «Con estas zapatillas voy a servir al Señor en el altar». Todo lo que lleva puesto está bendecido.

Te sientes muy diferente cuando portas tales vestiduras. Es como si realmente fueras otro, todo debido a la bendición.

Bendice y carga con alegría todo lo que toques – las sillas en las que te sientas, la ropa que usas, los alimentos que comes, los lápices que usas, los libros que lees, el lecho en el que duermes, tu esposo, esposa, novios y novias. Bendice todo lo que te rodea.

Muchas religiones, incluidas la cristiana, la judía, la budista y la zoroástrica, tienen la tradición de bendecir la casa en la que vives. El sacerdote llega y bendice la casa antes de que la familia se mude a ella. «Bendición», en este sentido, significa introducir energía de alegría en la casa. Esa casa es diferente de las demás casas porque está bendecida. No se la bendice maldiciendo sino introduciendo alegría en ella.

El dinero es a veces lo que más se maldice en el mundo. El dinero es un acumulador de basura psíquica. Por ejemplo, un simple billete de un dólar ha pasado por miles de manos desconocidas. Además de microbios, virus y gérmenes, el dinero posee acumulaciones psíquicas venenosas. Antes de que uses el dinero o lo pongas en tu bolsillo, bendícelo. De este modo, el dinero se purifica.

Estamos hablando de energía. Con esa energía puedes cambiar ciertas cosas. La gente dice: «Tiene buena mano para la jardinería». Si conoces personas que tienen buena mano, descubrirás que son alegres y que las semillas que ellas plantan contienen la energía psíquica del amor y la alegría. Por esta razón, tales semillas y plantas crecen de la mejor manera.

Una vez, cuando yo era niño, mi tía y yo plantamos algunos tomates. Esos tomates crecieron muy bien porque estábamos muy alegres cuando los plantamos. Pero si plantas maldiciendo, en odio, en temor, en venganza, o con mal humor, esas semillas están muertas por las corrientes negativas y contrarias a la vida. Sé alegre con tus libros, cartas, regalos y todo lo que usas y envías.

Cuando empieces a reunir los ingredientes para cocinar, bendícelos. Ponles una carga de alegría y verás cuán nutritivos serán los alimentos. La única nutrición que existe en el mundo es la alegría. Todo lo que es nutritivo tiene alegría en ello. Cuando le quitas la alegría al alimento, se convierte en materia muerta. Los científicos del futuro probarán estas cosas.

El mejor modo de bendecir algo consiste en poner las dos palmas de tus manos sobre el objeto y sentir alegría; luego, siente que la alegría está fluyendo de tus palmas. Tal vez tome tres o cuatro minutos antes de que puedas sentirlo. Cierra tus ojos y experimenta. Cuando sientas que la energía de la alegría está manando de tus dedos, bendice el objeto.

Supón que algunas partes de tu cuerpo tienen malestar. A la mayoría de personas le desagrada todo lo que es doloroso; por lo que su primera reacción consiste en decir: «Estomago... ¡tú tal cosa... tú tal otra!» Esta es la actitud equivocada. El método correcto consiste en enviar energía de alegría a tus órganos. No envíes alegría directamente a tus órganos físicos; envíala a la contraparte etérica de todos los órganos. El cuerpo etérico contiene las contrapartes de todos tus órganos físicos. Cada cambio que ocurre en el cuerpo físico, ocurre primero en el cuerpo etérico. Desde el cuerpo etérico, el cambio se transfiere al cuerpo físico, excepto en el caso de accidentes.

Tomemos, por ejemplo, al estómago. Si tu estómago te está molestando, imagina un estómago etérico a unos treinta centímetros de tu estómago físico. Luego trabaja sobre el estómago real, el estómago etérico, viéndolo totalmente sano y feliz en la energía de la alegría. De este modo, puedes regularte, repararte y curarte. Luego, dos o tres minutos después, el verdadero órgano, el etérico, condicionará a tu órgano físico.

Cuando envías tu energía de alegría directamente al cuerpo físico, puede crearse una reacción, porque generas demasiada energía para que el cuerpo físico la absorba. De este modo, pasas por alto al cuerpo etérico y, por lo tanto, no te curas. Tu trabajo debería ser con el cuerpo etérico, no con el cuerpo físico. El cuerpo físico es un autómata — como una sombra que cambia a medida que cambia el objeto que la crea. Tu cuerpo etérico es la realidad, y su sombra es tu cuerpo físico. Tu cuerpo etérico es real, y el cuerpo físico es la sombra.

Cada enfermedad y cada trastorno comienzan primero en tu cuerpo etérico, y después se propagan a tu cuerpo físico. Sin embargo, si sufres un accidente, alguien te balea o te caes y te cortas, etcétera, el daño no se inicia en el cuerpo etérico sino en el cuerpo físico.

A veces, después de una cirugía cuando la incisión ha sanado, todavía sientes dolor. Esto se debe a que el cuerpo etérico todavía no ha sanado y está tratando de ajustarse a las diferentes condiciones físicas. A veces estos dolores duran de tres a siete años, hasta que los nuevos átomos etéricos reemplacen a los viejos átomos.

Digamos que tuve una cirugía en uno de mis dedos. La cirugía ya concluyó y el dedo sanó, pero todavía hay dolor. Esto se debe a que la contraparte etérica del dedo adolorido todavía existe. Cuando el cuerpo físico denso se cura, debo efectuar sanación mental para sanar al cuerpo etérico. Debo decir al cuerpo etérico: «El dedo físico está curado; ahora debes sanar». Y con alegría, lo sanaré. Tan pronto como sanes al cuerpo etérico, el cuerpo físico ya no sentirá dolor.

En realidad, no es el cuerpo físico el que registra las sensaciones sino el cuerpo etérico. Por ejemplo, un brazo paralizado no tiene sensaciones en él porque su cuerpo etérico se retiró.

Los anestésicos separan al cuerpo etérico del sistema nervioso físico. Entre el cuerpo físico y el cuerpo etérico hay una capa de gases: ésta es la anestesia. Cuando la anestesia se disipa, el cuerpo etérico vuelve a combinarse con el cuerpo físico denso. El cuerpo etérico, no el cuerpo físico denso, es el principio de vida o el principio de la sensibilidad.

La gente habla de cirugía etérica. En principio, es posible, pero son pocas las personas que pueden efectuarla. Por otra parte, hay muchos charlatanes en este campo, como los hay en otros campos. Una vez observé a un hombre que efectuaba verdadera cirugía etérica. A medida que operaba el estómago etérico, él estaba viendo cómo su contrapartida, el estómago físico denso, se limpiaba y purificaba. El paciente tiene actualmente ochenta y cuatro años, y tiene la sensación de tener veinticinco.

8

MÁS EJERCICIOS SOBRE LA ALEGRÍA

En cualquier momento de tu vida en que estés feliz, alegre o en éxtasis, ciertas partes de tu sistema registran y acumulan esa energía de alegría. Por esta razón, tienes muchos «bolsillos» de alegría en tu sistema. Los denominamos «circuitos» de alegría. Están en tu aura. Estos circuitos están encapsulados, sin embargo, por eventos, pensamientos y sentimientos negativos. Ya no son utilizables. Debido a que no son utilizables, se convierten en fuerzas encapsuladas y cristalizadas en tu aura. En realidad, se transforman en agentes perturbadores en tu aura. Esta energía encapsulada puede ser liberada y puesta en circulación en tu aura con un método muy sencillo.

Digamos, por ejemplo, que cuando tenías seis años, tu papá te trajo una pelota que te hizo sentir muy feliz. Esta felicidad es un circuito de alegría en tu aura. Pero más tarde, tu papá te pegó o te reprendió. En este punto, la alegría se encapsuló; ya no es utilizable. Debes tratar de liberar esta alegría acumulada en tu sistema de modo que regeneres tu sistema, tu consciencia, tu mente y tus emociones.

Ejercicio A

1. Relájate y toma tres respiraciones profundas Imagina un momento de alegría – una experiencia alegre que tuviste este año. Haz de ella una experiencia completa. Primero recuerda la experiencia; conócela. Si puedes recordarla con claridad, trata de volver a experimentarla como si estuvieras atravesando esta experiencia por primera vez,

sintiendo toda la alegría, el éxtasis, la libertad y la belleza que originalmente tuviste. Repite nuevamente la experiencia hasta que liberes cada partícula de ella. Ahora encuentra otro momento u otra experiencia de gran alegría y trata de volver a experimentarla o revivirla. Haz esto primero con la experiencia de alegría física, por al menos veinte minutos.

2. Repite el ejercicio, volviendo a experimentar una alegría emocional.
3. Re-experimenta una alegría mental durante veinte minutos – una experiencia de creatividad, de leer, de pensar, de hablar, etcétera.

Ejercicio B

1. Visualiza una montaña en la que estás caminando. Mírala llena de flores, arbustos, verdor, ríos y cascadas. Trata de experimentar una tremenda alegría en tu sistema, como si no hubiera nada que te molestara. Siente las flores; huélelas. Toca los arbustos. Escucha los pájaros; échate sobre tus espaldas y escúchalos. Deja que todo fluya y sólo siéntete alegre.
2. Mira la luz entre las hojas de los árboles. Mira un pajarito que se acerca a ti, y tócalo. Ahora, mira que tu cuerpo está tendido de espaldas; y estás observando a tu cuerpo. Salta a la copa de un árbol alto y mira desde allí todo el valle; todo es muy hermoso. Mira tu cuerpo simplemente tendido allí como un trozo de madera.
3. Mientras estás en la copa del árbol, empieza a cantar algo bello que ames. Canta con fuerza para que todas las criaturas puedan oírte, ¡especialmente los zorros!
4. Ahora, imagina un evento que te dará el éxtasis y la alegría mayores, y dramatízalo. Tal vez sea encontrarte

con alguien, o recibir un cheque de cincuenta millones de dólares, o ver tu inmortalidad... Debe ser algo que te alegre mucho. Crea un evento ahora. Si puedes crear un evento, significa que puedes usar la energía de la alegría. Tan sólo imagina qué te convertiría en la persona más feliz.

5. Sube otra vez a la capa del árbol. Imagina a quién puedes enviar un rayo de alegría. Envíalo a tus amigos, tu madre, tu padre, a personas vivas o muertas. Envíales alegría, como un rayo de luz. Mira cómo estás cambiando sus naturalezas. No los juzgues; no racionalices nada; sólo envía alegría. Tampoco pienses en los resultados. Sólo envía alegría — a personas enfermas, deprimidas, fracasadas. Sé una fuente de alegría.
6. Estás nuevamente en la copa del árbol. Contempla desde allí tu cuerpo y envíale alegría a cada parte de tu cuerpo, etérico y físico. Esto es muy importante. Hazlo con seriedad. El color de tu alegría es violeta. Derrama luz violeta sobre tu cuerpo. Mira esa luz purificándolo, energizándolo, elevándolo, integrándolo y sanándolo totalmente.
7. Empieza otra vez con tu cabeza. Envía una tremenda cantidad de energía alrededor de tu cabeza. Ahora, envía energía a tus hombros, a tu pecho, desde la copa del árbol –no olvides esto– contemplando tu cuerpo allá abajo. Envía energía a tu estómago, a otras zonas inferiores, a tus piernas y a los dedos de tus pies. Ahora, mira todo tu cuerpo descansando en una esfera de luz violeta.
8. Acércate a tu cuerpo y voltéalo boca abajo. Ubica tu mano a unos doce centímetros por encima de la columna vertebral, recorre la columna, cargando la columna

con energía violeta. Empezando desde abajo, sube hasta la coronilla. Avanza lentamente, como si masajearas el cuerpo en el aire sobre él.

9. Si ves alguna nube oscura alrededor del cuerpo, envía una luz azul y destruye cualquier acumulación gris. Luego ve que la luz alrededor del cuerpo es violeta nuevamente.
10. Párate al lado de la cabeza, y toma siete respiraciones profundas. A medida que tomes las siete respiraciones, contémplate como una entidad luminosa creciendo en luz y energía. Después, observa un diamante en tu cabeza: esa es la semilla de la alegría. Mira cómo ese diamante brilla cada vez más y te inunda totalmente –tu cuerpo– con luz y alegría. Mira otra vez al diamante, y observa cómo, desde el diamante, llega una luz pura de color violeta, la cual transfigura todos tus vehículos.
11. Haz que tu cuerpo quede erguido, mientras tú permaneces de pie a su espalda. Elevando tus brazos, canaliza energía de color azul hacia tu cuerpo.
12. Párate frente a tu cuerpo. Canaliza energía de color naranja hacia él. Ahora, párate a su lado derecho, y canaliza energía de color amarillo hacia él. Desde el lado izquierdo, canaliza energía de color verde y mira tu cuerpo realmente sano y dinámico. Quema toda clase de gérmenes que puedan existir en tu cuerpo.
13. Frota tus manos. Toca tu cara y abre los ojos.

No hagas estas cosas por ti mismo mientras no sepas lo que estás haciendo. No hay en el mundo nada más poderoso que tu Ser, si tan sólo pudieras entender y aprender las técnicas para usar ese poder que se halla dentro de ti.

Puedes hacer mejor estos ejercicios si tienes un amigo cerca que te recuerde cada paso y te ayude a efectuar los ejercicios de manera integral. Sin embargo, tu amigo no debe criticarte ni aconsejarte lo que debes hacer. Sólo debe leer las instrucciones y darte tiempo suficiente como para que cumplas cada paso. A este amigo se lo puede llamar el «ayuda memoria».

Es también posible que grabes las instrucciones para los ejercicios, y sigas la grabación durante los ejercicios, siempre que dispongas de una o más horas para hacerlos. Cada ejercicio puede tardar de cinco a veinte minutos, según el tiempo de que dispongas. Si no tienes tiempo para hacer todo un ejercicio de una vez, haz una parte de él el primer día, y otra parte al día siguiente.

Ya estamos hastiados y cansados de ser «animales comunes y corrientes». Ya es hora de que seamos seres humanos. Nuestra meta es dejar detrás al «animal», y, después, dejar detrás al ser humano, y la próxima vez, venir como seres sobrehumanos.

Ejercicio C

1. Cierra los ojos nuevamente. Imagina un éxito, un emprendimiento, un trabajo especial o algo que estás planeando hacer. Visualiza tu futuro. Visualiza que te estás convirtiendo en lo que sea la visión que tienes para ti mismo. Visualiza lo que quieres ser, y visualízate convirtiéndote en ese alguien. Visualiza que tu sueño más elevado se actualiza.
2. Repite el Ejercicio C varias veces, de treinta a sesenta minutos.

Ejercicio D

1. Siente alegría extrema en todo tu cuerpo, tus emociones y tu mente. Construye la alegría propiamente dicha. Siente lo que es la alegría. Siente la alegría en los

dedos de tus pies. Siéntela en tus piernas. Siéntela en tus manos. Siéntela en tus huesos. Siéntela en tus brazos, abdomen, pecho, columna vertebral, cara, lengua y cabeza, por dentro y por fuera. Ahora, siente la alegría sobre todo tu ser, sobre la unidad completa. Observa la alegría irradiando de ti.

2. Irradia alegría tanto como puedas con todas las partes de tu cuerpo. Sólo irrádiala como si fueras material radioactivo. Eleva tus manos y envía alegría a todo el mundo. Imagina cada punto problemático en el mundo y envíale alegría. Empieza con América, después pasa a Europa, al Oriente Medio, al Lejano Oriente, a Asia, India, Rusia, China, Japón… y bendice incluso a los peces del océano.

Algunas veces podrías llorar de alegría. Hay lágrimas de alegría y lágrimas de tristeza. La química de estos dos tipos de lágrimas es totalmente diferente. La química de las lágrimas de tristeza es venenosa; tienen un sabor salado, mientras que las lágrimas de alegría tienen buen sabor, incluso delicioso.

Tus glándulas circulan diversos venenos o energía de dicha. A veces, la transpiración puede sanar a la gente. Una vez, alguien escribió acerca de una niña en Armenia que pone su sudor en la espalda de las personas y hace que su dolor desaparezca. La gente ha descubierto que hay vitaminas y otros elementos en el sudor. Éste es el sudor de la alegría. Pero el sudor de la culpa es veneno. Trata de estar alegre.

Convierte tu vida en un viaje de alegría.

9

MEDITACIÓN SOBRE LA ALEGRÍA

Es muy importante cultivar la alegría en el campo de nuestra consciencia al plantar semillas de alegría en él. Las semillas de alegría producirán una gran cosecha, no sólo individualmente, sino también colectivamente.

Cada semana dispón de un período corto de tiempo, digamos unos quince a veinticinco minutos, y dedícalos a cultivar la alegría. Medita de la siguiente manera:

1. Relájate física, emocional y mentalmente.
2. Inhala alegría profundamente en tu ser y exhala alegría. Haz esto tres veces. Luego relájate de nuevo por un momento.
3. Enfoca tu consciencia sobre tu cabeza, y visualiza un bello arco iris entre dos montañas.
4. Deja que la belleza del arco iris llene toda tu naturaleza con alegría adicional.
5. Medita varias veces (una vez por semana, durante siete semanas) sobre el siguiente pensamiento-simiente:

   La alegría es armonía entre el Ser y el Ser Cósmico, percibida emocionalmente, aprobada intelectualmente y actualizada intuitivamente.

6. Después de meditar de quince a veinticinco minutos, anota tus pensamientos y experiencias en un cuaderno especial.

En la noche del mismo día, haz una revisión sobre la alegría:

1. Relájate. Cierra tus ojos y formula las siguientes preguntas:
   a. ¿Estuve alegre todo el día?
   b. ¿Qué efectos veo en mi modo de ser y en el modo de ser de aquéllos con los cuales me relaciono?
   c. ¿He visto la sabiduría de la alegría en acción?
   d. ¿Veo alguna relación entre la alegría y la claridad de mi consciencia?
2. Después de terminar tu revisión (de veinticinco a treinta y cinco minutos), anota tus descubrimientos en tu cuaderno.

También puedes usar tu cuaderno para anotar cualquier experiencia que tengas durante la semana en relación con la alegría.

Es bueno cambiar el pensamiento-simiente de alegría, cada siete semanas. Los siguientes pensamientos-simiente te son presentados para tu propio uso. Puedes meditar sobre ellos periódicamente, una y otra vez:

1. «La alegría es una sabiduría especial»[8].
2. La alegría es dicha en manifestación.
3. La alegría es energía y obedece a ciertas leyes, como lo hace la electricidad.
4. La alegría elimina la negatividad y el conflicto dentro de mi naturaleza.
5. La alegría crea rectas relaciones humanas.
6. Dondequiera que haya alegría, puede observarse también la presencia de la belleza, la bondad, la rectitud y la libertad

8. Agni Yoga, *Mundo Ardiente*, Vol. II, párrafo 258.

7. Los pensamientos alegres viajan más lejos y más profundamente dentro del Cosmos, y evocan energías constructivas y creadoras.
8. La alegría afecta a plantas, árboles, objetos y seres humanos, y los ayuda a desenvolverse y desarrollar armoniosamente.
9. La alegría acumula aquellas energías que son utilizadas para viajar a esferas superiores.
10. La alegría evoca paz.
11. En el fuego de la alegría, ningún mal puede existir.
12. La alegría existe y se incrementa al compartirla con todos los seres vivientes.
13. La inofensividad es la precursora de la alegría.
14. La perfección es alcanzada al ascender en la escalera de la alegría.

10

LA ALEGRÍA ES UNA SABIDURÍA ESPECIAL

La alegría es la fragancia del Cáliz, del Loto. A medida que los pétalos del Loto se abren, la alegría irradia de los pétalos y da vigor al cuerpo físico, magnetismo al cuerpo sutil y serenidad al cuerpo mental.

El Loto es la fuente permanente de la alegría. A medida que se desenvuelve, la alegría aumenta. La alegría no está condicionada por las circunstancias externas; es como un faro, cuyo cimiento descansa sobre rocas eternas.

La felicidad es un efecto de las condiciones externas. Cuando las condiciones favorables cambian, la felicidad desaparece dejando la tristeza de la depresión. La alegría nunca cambia. Aumenta a medida que los problemas y conflictos aumentan en nuestra vida. Crece a pesar de las condiciones.

A medida que la experiencia del peregrino se incrementa, a medida que su servicio se expande, cuando tiene la voluntad de sacrificarse más y más, y conquista más territorio en la auto-realización, la fragancia del Loto se incrementa y esparce sobre áreas más vastas.

La energía más atractiva de un servidor es su alegría, la cual irradia de sus modales, su voz y sus ojos. Todo aquello que toca, florece y se desenvuelve.

La alegría no es un sentimiento ni una emoción; es un estado de consciencia, un estado que está desapegado del dominio de los tres mundos inferiores. Los problemas de estos tres mundos no pueden alcanzarla. El conocimiento, el amor y la energía dinámica de los pétalos del sacrificio se esparcen y cargan todas las diminutas vidas de los vehículos inferiores con la energía de la alegría.

La alegría no es la ausencia de obstáculos, problemas y dificultades. Por el contrario, la alegría es el destello que brota de cada victoria ganada por el hombre interior a través de estos obstáculos. La alegría crece en la batalla, el conflicto, el servicio y el sacrificio. La alegría verdadera crea crisis y tensiones, y las vence. Así es como crece. Es la alegría la que vence todas las hostilidades y dudas, y construye innumerables puentes entre los corazones.

La alegría da valentía, inspiración y visión. Purifica, sana y santifica.

Bajo la luz de una persona alegre, la gente se ve a sí misma como es. Todas las sombras de la duda desaparecen. Es inspirada por una visión mayor. La energía de la valentía empieza a fluir a través de sus nervios. La gente toma decisiones difíciles, y la alegría inflama sus corazones en pos de bellezas mayores. La alegría eleva a las personas y las hace más capaces, más libres y radiactivas. Nadie puede herirte si allí está la alegría. Las flechas negras de los mundos visibles e invisibles caen frente a la fortaleza de la alegría. La alegría es armonía; por esta razón, las flechas negras no pueden penetrarla.

Cualquier ataque contra la alegría produce depresión, melancolía, oscuridad y fracaso. Cualquier comunicación con la alegría eleva, exalta y embellece.

La alegría es la piedra filosofal. Es el sendero hacia la vida, el amor y la luz. Es el magnetismo del Sol. Las puertas cerradas y las sendas cercadas se abren ante la presencia de la alegría.

Puedes entender las expresiones de alegría en cualquier lenguaje. Desde cualquier nivel, puedes traducirlas a tu idioma.

Una persona alegre es la persona más sencilla, la persona más directa y la persona más profunda. Siempre le entiendes, pero siempre encuentras algo más profundo en ella. Cuando desvelas un nivel, otro más profundo se abre. A través de la simplicidad de la alegría, eres conducido a los misterios que ella posee.

El éxito es el resultado de un trabajo que se lleva a cabo con alegría. Inicia tu trabajo con alegría, y el sendero del éxito se abrirá frente a ti. Comunícate con alegría; trabaja con alegría. Sé alegre en todas tus relaciones, e incluso observa tus fracasos con alegría, en alegría. Cualquier fracaso, observado con alegría, se transforma en éxito y victoria. Cualquier problema, observado con alegría, se disuelve. La alegría propicia lo Infinito. La alegría propicia lo inmutable. La alegría es testigo de lo imperecedero de la llama humana.

La forma de saludo del guerrero de la Nueva Era será: «¡Regocíjense!». Esto no es un apretón de manos ni un «hola». No es un beso ni un abrazo. Es un acto para cargar a las personas con la energía de la alegría. Es un acto para elevarlas desde las olas de los tres mundos y sostenerlas en belleza, gratitud, valentía, esperanza, visión y realidad.

«¡Regocíjense!». La alegría es la fragancia que se eleva desde el Cáliz Interior, una melodía que canta eternamente.

Con gran humildad, con gran simplicidad, entra en el Santuario Interior y mira el Cáliz. Observa la llama en el Cáliz, el fuego de la dicha. Posa tus labios sobre el Cáliz y saborea su contenido. Luego entra en el éxtasis del amor, de la alegría y de la dicha[9].

9. Extraído de *La Ciencia de Ser Uno Mismo*, Cap. 28, por Torkom Saraydarian.

11

CÓMO TRAER AMOR Y ALEGRÍA A LAS PERSONAS

Los discípulos tienen una fuente interior de alegría y amor que brota hacia sus vidas y nutre a las personas que les rodean. Muy frecuentemente, es la alegría y el amor de un discípulo lo que atrae personas hacia el sendero de la iluminación y el trabajo.

Las personas a veces piensan que la alegría y el amor son sentimientos, sensaciones o emociones. La Sabiduría Eterna enseña que el amor y la alegría son tipos particulares de energías que tienen tres tareas fundamentales en el reino humano:

1. Hacen que las formas de vida existan, creen y sobrevivan.
2. Ayudan en la formación del alma, o la identidad en el hombre.
3. Crean la atmósfera en la que la creatividad en su significado más elevado se hace posible.

La Sabiduría Eterna enseña que el amor y la alegría son dos grandes Vidas Cósmicas relacionadas entre sí. Juntas nutren todas las vidas en el espacio Cósmico, para hacer que las formas vivientes sobrevivan, para ayudar a traer a la existencia la unidad de consciencia en la forma humana, para hacer que el alma exista, y para que las semillas de la belleza se desenvuelvan, se abran y florezcan.

Sin amor y alegría, la vida desaparecerá de la Tierra. Son el amor y la alegría los que hacen que las plantas, las flores y los árboles sobrevivan. Son el amor y la alegría los que hacen que los animales continúen existiendo. Son el amor y la alegría los que hacen que la raza humana continúe viviendo. Elimina las energías del amor y la alegría, y nuestro planeta se convertirá en una luna.

Son el amor y la alegría los que mantienen unida a una familia, una nación y una humanidad. Sin amor y alegría, la gente se hará suicida. El amor une a las personas, naciones y vidas, y construye el mecanismo de supervivencia. La alegría hace que los mecanismos se expandan, sean inclusivos, florezcan y expresen todos sus potenciales de creatividad.

Las dos energías, el amor y la alegría, son femenina y masculina. Penetran en cada átomo y célula, y tratan de inspirarlas y concebir en ellas la posibilidad de crecer y superar sus límites. Tienen efectos similares en cada forma, en cada familia, en cada nación y en la humanidad.

Aquellos individuos y naciones que tienen más alegría y amor duran más tiempo y ayudan a los demás a progresar y disfrutar la vida. Dondequiera que estas energías se retiran, el crimen, el suicidio y la destrucción se establecen.

Sólo somos conscientes que hay amor y alegría en los reinos vegetal, animal y humano; pero el amor y la alegría existen también en Reinos Superiores, en un estado más puro y con mayor poder. Son el amor y la alegría los que mantienen unidas a las estrellas en una constelación. Son el Amor y la Alegría Cósmicos los que orquestan la danza de las estrellas en la Sinfonía Cósmica.

Una vez, un gran Maestro dijo: «una alegría profunda se siente en el cielo cuando uno de ustedes se vuelve hacia la luz».

A través de la alegría la gente se saluda mutuamente. A través de la alegría el reconocimiento es expresado. A través de la alegría, la gratitud es ofrecida. A través de la alegría, el alma viaja hacia la Fuente de su origen.

La alegría se convierte en dicha en los reinos superiores. Es en la dicha que todo el sufrimiento, dolor y separatividad se desvanecen, y el hombre siente que es uno con todo lo que existe.

La transformación de las personas no se inicia por medio del conocimiento sino por medio de la alegría. Cuanto más hondamente entres en la alegría, mejor es el ser humano que se forma en tu interior. La tragedia está en que no sepamos cómo penetrar en niveles más profundos de alegría y que, debido a nuestra ignorancia, impidamos a las personas penetrar en las esferas de la alegría.

La alegría regenera tu sistema, tu cuerpo, purifica tus emociones; transforma e ilumina tu mente. Ayuda en la formación de la perla a la que llamamos el alma humana.

Lo primero que las energías del amor y la alegría hacen es condicionar la continuidad de la vida en este planeta.

Lo segundo que ellas hacen es nutrir al alma humana inmortal cuando ambos se fusionan en un ser humano. Es después de esta fusión que el hombre se convierte en un individuo, un alma viviente, en vez de ser una máquina. Esta etapa es llamada la formación de la perla en el corazón humano. Hasta que no esté construida esa perla, no tienes inmortalidad consciente, a pesar de que existes así como todo lo demás existe.

Quienes no son almas, son como pequeños guijarros en el río de causas y efectos. Sirven mecánicamente como causas y luego se convierten en efectos. Esto continúa durante muy largo tiempo, hasta que el amor y la alegría son asimilados y el desenvolvimiento del alma tiene lugar.

Estos son los aparatos a través de los cuales las energías del amor y la alegría funcionan:

1. Los vehículos etérico, astral y mental, a través de los cuales la supervivencia se hace posible.
2. El centro corazón, en el que la formación del alma tiene lugar.
3. La Tríada Espiritual, en la que el alma humana desarrolla su Voluntad Divina.

Después de que el alma se desenvuelve en el corazón, la energía del amor-alegría opera en la Tríada Espiritual y se manifiesta como dicha. La dicha evoca el Centro oculto en el alma humana, y la energía de la voluntad es concebida en el alma humana. Son estas tres energías combinadas las que hacen posible la manifestación de la belleza oculta en el Centro humano. La belleza de Cristo, Buda, Mahoma, Zoroastro, Hércules y otros gigantes de la humanidad es manifestada en esta cámara secreta de la pirámide interior. Las grandes obras de arte, en todas sus formas, son manifestaciones de estas tres energías: el amor, la alegría y la voluntad.

Después de que el alma se desenvuelve en el corazón, la energía del amor-alegría opera en la Tríada Espiritual y se manifiesta como dicha. La dicha evoca el Centro oculto en el alma humana, y la energía de la voluntad es concebida en el alma humana. Son estas tres energías combinadas las que hacen posible la manifestación de la belleza oculta en el Centro humano. La belleza de Cristo, Buda, Mahoma, Zoroastro, Hércules y otros gigantes de la humanidad es manifestada en esta cámara secreta de la pirámide interior. Las grandes obras de arte, en todas sus formas, son manifestaciones de estas tres energías: el amor, la alegría y la voluntad.

Cómo incrementar nuestro Amor y nuestra Alegría

La ley es ésta: el amor aumenta al amar más; la alegría aumenta al dar más alegría a los demás. La ley tiene siempre dos aspectos: el aspecto «promotor» y el aspecto restrictivo. El aspecto restrictivo de la ley dice que cuando las sustancias del amor y la alegría no penetran gradualmente en todos los departamentos del ser humano, no nutren las tres tareas fundamentales de la vida y, en cambio, crean desequilibrio en el sistema humano.

Si las sustancias del amor y la alegría son absorbidas sólo en el nivel de la personalidad, ayudan a la supervivencia, pero no llegan al corazón ni crean la individualidad - la perla, el alma. Si no llegan al nivel espiritual para crear belleza o la manifestación de la voluntad que se halla en el Ser, el Ser Total, la evolución del ser humano se detiene.

Para incrementar el amor y la alegría debemos saber vivir y arreglar las cosas para que incrementen estas energías. Cada esfuerzo para armonizar la energía necesita un aparato. Estos aparatos deben de ser construidos y estar listos para funcionar con el fin de poder acumular energía.

El primer aparato — los cuerpos físico, astral y mental — es construido cuando vencemos los hábitos y vivimos una vida limpia; cuando conquistamos todas las emociones negativas y dolorosas; y cuando eliminamos de nuestro pensamiento todos los pensamientos dañinos. El segundo aparato — el centro corazón — es construido, nutrido y desarrollado por medio de la energía del amor. El tercer aparato — la Tríada Espiritual — es construido mediante una vida de alegría dentro del servicio sacrificado.

En una ocasión le pregunté a mi Instructor: «¿Hay personas que viven más tiempo que las personas promedio?»

«Si», me contestó, «he visto personas que tenían ciento veinticinco, ciento cincuenta, ciento setenta años de edad. Incluso escuché sobre personas que viven cuatrocientos años, y de algunas que nunca mueren».

«¿Qué comen?».

«Sus principales alimentos son el amor, la alegría y el trabajo arduo. Cuanto más amor, más alegría y más trabajo eres, más amor, más vida eres. Piensa en eso».

Todo lo que está en contra del amor, la alegría y el trabajo, acorta la vida. Todos los pensamientos, emociones, palabras y acciones dañinos que se acumulan año tras año, hacen que nuestra vida sea más corta, dolorosa y triste. El odio, el separatismo, la ira, los celos, la venganza, la malicia, la calumnia, el fanatismo y el egocentrismo – todos éstos germinan debido a la ausencia de alegría, amor y trabajo. El crimen es la ausencia de alegría, amor y trabajo.

Uno de mis Instructores solía llamar «oxígeno» al amor, «hidrógeno» a la alegría, y «agua» al trabajo, que ayudan a que las flores y los árboles florezcan. Por lo tanto, la alegría es fuego y el amor es fuego, y cuando se combinan en la proporción correcta, crean agua - el fuego creador.

Este fuego debe siempre progresar de los niveles físicos a los espirituales, y circular entre estos dos polos, si no queremos que nos dañe y sea usado destructivamente. Si el amor y la alegría no circulan continuamente y se elevan hacia los niveles más elevados, nos dañan.

Por ejemplo, una señora te dice: «Te amo, y porque te amo, debes hacer todo lo que yo quiero que hagas».

Tú le contestas: «Señora, espere un minuto. El amor no se impone». Ella no te entiende, y te odia. ¿Qué sucedió? Ella dijo que te amaba y ahora te odia. La razón es que la energía del amor se adhirió al cuerpo de ella y a su mundo emocional, y no pudo elevarse.

Nuestros máximos enemigos fueron amigos nuestros en una época. Se convirtieron en enemigos nuestros porque procuramos hacer que la energía del amor ascendiera, pero esa energía se atascó en ellos y estuvo al servicio de un interés separatista. Así, un discípulo se convierte en Judas; el vino se convierte en vinagre…

¿Cómo debemos proteger la personalidad para absorber amor-alegría e incrementar la sustancia de la voluntad en nuestros vehículos, para hacer que sobrevivan en esta vida durante unos cien años y sigan sobreviviendo en otros niveles? Hay tres reglas que podemos seguir:

1. Eliminación de todo tipo de expresiones de odio, celos, venganza, temor y codicia.
2. Eliminación de todo tipo de expresiones de separatismo, vanidad y ego.
3. Eliminación de todo tipo de crueldad y nocividad.

Con estas tres reglas, debemos involucrarnos en la labor de cultivar:

- Perdón, amor más profundo y compasión (Amor comprensivo es compasión).
- Contento y gratitud.
- Inclusividad.

Cuando estos tres aparatos psíquicos estén en operación, absorberán las sustancias del amor y la alegría del espacio.

Pasos prácticos para incrementar el Amor y nuestra Alegría

1. Cualquier cosa que sientas que está en contra del amor y la alegría en las expresiones de otros o dentro de ti, debe

enfocarse primero con la mente analítica, formulándote las siguientes preguntas:

a. ¿Qué es lo que hace que él (o yo) pensemos de esa manera, hablemos de esa manera, escribamos de esa manera o seamos de esa manera?

Después de formular esta pregunta, trata de buscar tantas repuestas como te sea posible. Si eres franco y sincero contigo mismo, esto te conducirá a las causas. Trata de aproximarte a esta pregunta sin ira, odio ni temor de modo que no deformes el mecanismo de tu visión. Pregunta:

b. ¿Qué es lo que él (o yo) queremos lograr con tal comportamiento?

c. ¿A quién está tratando él (o a quien estoy tratando yo) de servir?

d. ¿Puedo dar una pequeña dosis de amor y alegría y hacer que él "aguarde un minuto" en su caída?

e. ¿Cómo puedo formular y expresar mi amor y alegría sin crear resistencia, vanidad, superioridad o congestión en él?

Al tratar de responder estas preguntas, te apartas de la esfera de las emociones y previenes una reacción emocional. Así, no causas disturbios a tu aparato interior.

2. El segundo paso consiste en que medites diariamente. Relájate y enfoca tu mente en una esfera rosada de energía con ondas de color violeta e inhálala en todo tu ser. Visualiza el amor-alegría siendo absorbido en tu cuerpo. Al exhalar, visualiza que purifica todo tu ser de los pensamientos y sentimientos que son nocivos, feos o vergonzosos.
3. El tercer paso consiste en confeccionar una lista de:

   a. Aquellos a quienes puedes enviar pensamientos de amor y alegría.

b. Aquellos a quienes puedes enviar pensamientos de amor y alegría por medio de cartas.
c. Aquellos a quienes puedes enviar pensamientos de amor y alegría por medio de determinados regalos — dinero u objetos.

Cuando estos tres pasos son llevados a cabo por un período de un año, verás tres cosas que te ocurrirán:

- Sentirás que tienes más salud y más fuerza.
- Crearás un foco en ti, una integridad que es la formación del alma.
- Sentirás las brisas de una dicha interna que te elevará sobre todas las agitaciones de la vida.

La gente tiene una opinión errada de que la alegría y el amor se acrecientan si vivimos en una atmósfera de alegría y amor. Estas energías se incrementan en nuestro sistema no porque existen alrededor de nosotros, sino por la cantidad de alegría y amor que depositamos en la atmósfera. Nos saturamos fácilmente con alegría y amor si se derraman abundantemente sobre nosotros. Tales energías pueden incluso paralizarnos y dejarnos inválidos, si no expresamos la cantidad correspondiente de amor y alegría.

Podemos incrementar nuestro amor y alegría en lugares en los que no existen. La gente se queja y dice: «Vivimos en un lugar en el que hay malicia, calumnia, odio, sentimientos negativos y destructivos, y todas estas emociones están teniendo un efecto destructivo sobre nosotros». Esto es muy cierto si no reaccionamos con amor y alegría, y tomamos las condiciones como un estado apropiado en el cual desarrollar amor y alegría.

La ley es ésta: Incrementas tu amor y alegría al darlos a aquellos que no los tienen, de una manera que evoques en ellos amor y alegría y les hagas experimentar el valor del amor y la alegría. Haces conscientes a los demás de cómo el amor y la alegría aumentan si son dados a quienes no los tienen.

Amor no significa:

a. Entregarse a la debilidad.
b. Aceptar cosas que son perjudiciales.
c. Tolerar la pereza.
d. Animar la debilidad y la irresponsabilidad.
e. Aceptar la fealdad.
f. Explotar a la gente; o
g. Adormecer a la gente.

Amar significa:

a. Poner de manifiesto el sentido de responsabilidad.
b. Señalar las debilidades que la gente tiene.
c. Retar a la gente para que se esfuerce y alcance logros.
d. Hacer que la gente trabaje en sus hábitos y otras debilidades para eliminarlos.
e. Hacer que aprendan a cooperar y superar sus egos
f. Hacer que la gente se comprometa en una gran labor en favor de la humanidad.
g. Enseñarles a vencer sus vanidades.

No puedes conducir a la gente hacia tales labores a menos que lo hagas con las energías del amor y la alegría. Al depositar tu amor y tu alegría en esa labor, los incrementas.

El verdadero amor y la alegría aumentan en condiciones adversas.

Dar alegría no significa:

a. Adular a la gente.
b. Sobornar a la gente.
c. Complacer a la gente.
d. Ceder a los apetitos y hábitos de la gente.
e. Permitir que la gente te engañe.
f. Permitir que la gente siga una senda destructiva.

¿Cómo podemos dar alegría a los demás?

a. Haciéndoles ver los hechos.
b. Dándoles visión, esperanza y futuro.
c. Enseñándoles a resolver sus problemas.
d. Ayudándoles a tomar contacto con su Vigía Interior.
e. Ayudándoles a incrementar su creatividad.
f. Haciendo que sean agradecidos, generosos y dispuestos a compartir.
g. Ayudándoles a dar alegría a los demás.

Cuando amas, tienes alegría. Cuando tienes alegría y amor, te haces creativo; posees un propósito porque tienes un alma. Cuando el amor y la alegría aumentan en ti, sientes la urgencia de actuar, trabajar, laborar y manifestar la belleza y la gloria del Ser Interior.

Varias condiciones son necesarias para liberar la fuente de alegría dentro de ti:

1. Cuando tu consciencia está en el proceso de expansión, sientes gran alegría. Cada nuevo plano de consciencia te pone en contacto con reinos nuevos y más elevados, en los que te das cuenta de la inmutabilidad de tu Centro.

Uno de los enemigos de la alegría es el temor. El temor desaparece cuando una persona halla en sí misma al Ser Inmutable. El Ser Inmutable es encontrado sólo a través de la expansión de tu consciencia. Cuanto más cerca estás de tu Centro, mayor es tu alegría.

El Ser Inmutable es el Ser Inmortal, el Ser Permanente. La consciencia de la permanencia es una gran fuente de alegría. Es la impermanencia de las cosas que hace que nuestra alegría desaparezca. Vida impermanente, cuerpo y salud impermanentes, condiciones impermanentes, posesiones, dinero, amigos, esposa y esposo... Es esta impermanencia la causa de todo nuestro temor. Una vez que el Ser Permanente ha sido hallado a través de la expansión de la consciencia, la alegría reemplaza al temor.

El ser humano debe tener una realidad inmutable a fin de conservar su cordura. Para algunas personas, ello es un Principio Cósmico, un Dios, un Alma; para otros es la inmortalidad, el Ser, el Centro. Cuando una persona se identifica con algo impermanente, se vuelve efímera. Luego, cuando los cambios comienzan en la impermanencia, ella pierde el equilibrio y enloquece.

Por esta razón, los grandes Instructores siempre tratan de inspirar en la consciencia de Sus discípulos, los principios de certidumbre, permanencia e inmutabilidad. Una vez que tales principios son construidos dentro de una persona, ésta es más confiable y una en la que se puede confiar en trabajos responsables.

El fanatismo es resultado de una forma mental cristalizada construida en el plano mental cuando fallamos en contactar al Ser Inmutable, en sí mismo y en el Universo. Por esto, el fanatismo alimenta temor e ira, y actúa por un tiempo corto como un representante de la permanencia. La alegría no puede existir donde el fanatismo esparce sus semillas. La expansión de la consciencia disipa lentamente el fanatismo y permite que la alegría ingrese fluyendo.

Donde hay alegría, también hay sentido de inmutabilidad y permanencia.

2. Hay una alegría creciente en tu corazón cuando te das cuenta que tu vida está dedicada al servicio de la humanidad. Nadie puede quitarte esa alegría. El servicio por el Bien Común es fuente de gran alegría. El servicio por el Bien Común está basado en elevar a la gente, expandir su consciencia, darle dirección, iluminar sus mentes, inspirar belleza en ellos, guiarlos al servicio sacrificado, traer unidad a sus vidas, construir puentes en las personas y entre las personas, guiarlas hacia la libertad y cultivar en ellas el sentido de responsabilidad.

Cuando estés convencido que estás dando un servicio a la humanidad, tendrás una alegría continua en tu corazón. Aunque la gente no reconozca tu servicio, aunque no seas pagado por él, tu servicio se convierte en una fuente de alegría. Sientes alegría temporal al servir a tu familia o a tu nación, pero la alegría permanente llega a tu corazón cuando empiezas a servir en nombre de la humanidad y en por la humanidad.

Hay alegría parcial y hay alegría completa. La alegría parcial termina con la aflicción; la alegría completa permanece para siempre. Incluso individualmente, todo lo que tú eres como unidad debe absorber la alegría — no sólo una parte de ti. Cuando una parte de tu cuerpo disfruta a expensas de las demás, ella te conduce hacia el dolor o la aflicción.

3. La alegría nace de tu corazón cuando tu vida no está agobiada por un pesado karma. Si tu vida está cargada de recuerdos de delitos, será muy difícil para ti hallar la fuente de la alegría, aunque trates de crearla por medios artificiales. Cuando tienes en tu mente recuerdos de delitos, ellos crean un cortocircuito en la electricidad de tu alegría. No importa cuán arduamente trates de elevarte a la esfera de la alegría, algo dentro de ti interfiere. Ello perturba tu meditación, tu canto, tu danza, y sientes que, no importa lo que hagas, no puedes experimentar verdadera alegría.

El karma acumulado por varios delitos construye una barrera entre tú y la fuente de la alegría, aunque no recuerdes los delitos. La eliminación de las deudas kármicas te produce alegría. Pero si tu conciencia te recuerda hiriendo a la gente, engañando a la gente, explotando a la gente, manipulando a la gente, robando a la gente, mintiéndole a la gente o calumniando a la gente, será muy difícil para ti tener alegría. Esos registros alterarán la tranquilidad y serenidad de tu corazón. Cuando tu corazón está perturbado por tus propias maldades, la alegría no se queda ahí.

La santidad y la pureza son alegría. La culpa y el delito son fuentes de tristeza.

4. Cuando tienes la consciencia de que las semillas de las flores que plantaste están brotando, floreciendo e irradiando fragancia y belleza, tienes alegría. Puedes esperar una gran cosecha de alegría cuando plantas en el Espacio las semillas de belleza, bondad, justicia, unidad y libertad. Sin estas semillas, tus jardines futuros serán estériles, arenosos y rocosos.

¿Cómo puede uno encarar la eternidad con alegría sin tener una gran cosecha de las semillas que plantamos en los corazones y las vidas de la gente? Tu trabajo creativo es la fuente de muchas semillas. Puedes arrojar semillas de belleza, luz y amor abundantes por medio de tu arte, tu conocimiento y tu servicio sacrificado, y puedes obtener una gran cosecha de alegría.

Las semillas de Belleza, Bondad, Rectitud, Alegría y Libertad brotarán no sólo en esta Tierra sino también en reinos superiores. Antes de elevarte hacia estos reinos, tus jardines florecerán y aguardarán tu llegada. Los resultados de las semillas de la belleza viajan más rápido que tu evolución real y tus logros.

5. Cuando encuentras, en cualquier área del quehacer humano, a tus colaboradores que están dedicados a elevar a la humanidad, tienes alegría. ¿Tienes colaboradores que han dedicado sus vidas a una gran causa, que están junto a ti en la oscuridad y en la luz, y que desarrollan el trabajo de la belleza, la bondad, la justicia, la unidad y la libertad? Es un gran privilegio tener personas alrededor tuyo a quienes puedas confiar tu vida, tus planes, tu propósito, tus tesoros y todo lo que eres. Es de tales personas que emergerán aquellas que no sólo son fieles a tu meta, sino que también están preparadas y dispuestas a ayudarte, en tu campo de servicio, para que llegues a tu meta.

Los verdaderos colaboradores son fuente de alegría. Sabes que te ayudarán consciente e inteligentemente en tu trabajo, e incluso continuarán tu trabajo cuando partas de ellos.

Una gran labor no puede desarrollarse en soledad. Una gran labor es un trabajo en equipo. Este equipo está compuesto por colaboradores que no sólo tienen la consciencia de la meta, el conocimiento, la habilidad y la resistencia, sino que también son entusiastas, auto-sacrificados y altamente dedicados a la meta. Cuando nos encontramos con tales colaboradores, sentimos una alegría que es extremadamente rara.

6. Cuando un nuevo y mayor campo de servicio te es dado, la alegría se abre a ti. Cada vez que eres fiel al campo de tu labor, estás en alegría y haces allí lo mejor que puedes.

Los Ojos Vigilantes siguen tus pasos y cuando estás preparado, te promueven a un campo mayor de servicio donde tendrás más horas de trabajo, problemas más agobiantes, mayores demandas de valentía y audacia, soledad más profunda. Pero sentirás un tremendo tipo de alegría que llenará todo tu ser. Tal alegría será tuya cuando te des cuenta del honor y la confianza que te dispensaron al otorgarte un mayor campo de responsabilidad en el que serás capaz de expresar tu gratitud al Uno que es tu Esencia Interior.

Nuevos y más difíciles campos de servicio estimulan las capas más profundas de tu Centro y evocan nuevas energías creadoras. Éste es el proceso de la verdadera auto-actualización. Muchos puntos de nuestro Centro permanecen dormidos durante siglos hasta que campos de servicio más audaces los retan y los ponen en acción. La consciencia se expande al reconocer y encarar nuevas áreas de responsabilidad. Cuando el sentido de responsabilidad se embota, la caída de un individuo o una nación se inicia.

7. **Cuando te encuentras con tu Vigía Interior, cuando encuentras a tu Instructor, y a través de tu Vigía Interno y tu Instructor estás en la presencia de Cristo, tienes alegría.** Cuando Le veas, la alegría que sentirás será permanente y «nadie será capaz de quitarte esa alegría»[10]. La razón para tal alegría está en que en Su imagen verás tu propia perfección futura. Serás inundado con Su alegría de realización y logro espiritual.

Hay diversas otras maneras físicas de dar alegría a los demás:

1. Apreciando su belleza y sus talentos, y fomentando su creatividad.
2. Dándoles regalos apropiados y satisfaciendo sus necesidades. Los regalos pueden llevar una gran carga de alegría para los demás.
3. Visitando a tus seres queridos o a personas enfermas.
4. Escribiendo cartas de estímulo, afirmación o iluminación.

10. *Juan*, 16:22.

5. Esparciendo esperanza, hablando acerca del futuro e inspirando valentía.
6. Una sociedad alegre es una sociedad saludable y próspera.

¿Porqué es tan importante la Alegría en nuestras vidas?

1. La alegría regenera y rejuvenece tu sistema de energía y causa sublimación. En el futuro, las personas aplicarán la alegría para sanar y elevar a las personas. Aplicarán la alegría de la belleza, la alegría de la bondad, la alegría del sacrificio y la alegría del arte creativo, y sanarán a los demás. La alegría es uno de los más grandes poderes curativos y energizantes.

La alegría no sólo sana sino que también sublima. A través de la alegría tus centros superiores empiezan a estar activos y bombean las energías de los centros inferiores correspondientes. Es a la luz de la alegría que uno comparte y se hace desprendido; su ambición y su ego se desvanecen a la luz de la alegría.

Cuando yo era niño, mi hermana, que me llevaba cinco años, tenía una bella pelota de colores. Ella solía jugar con la pelota haciéndola rebotar contra el suelo y saltando sobre ella, atrapándola de diversos modos, y luego la guardaba en su bolsillo y salía corriendo. Yo también quería jugar con esa pelota, pero mi hermana nunca me la quiso dar.

Un día, mi tío compró un caballo para ella. El caballo era muy hermoso. «Tío», le dije, «iré corriendo y le diré lo del caballo».

Corrí unos ocho kilómetros. Mi hermana estaba sentada bajo un roble enorme. «¡Hermana, hermana!», grité. «Tienes un caballo. ¡Es un regalo para ti!».

Ella se puso a saltar de alegría, y me preguntó: «¿Dónde está?».

«El tío lo tiene frente a casa».

Ella empezó a correr. De pronto, se detuvo. Sacando la pelota de su bolsillo, me dijo: «Tómala», y continuó corriendo.

Yo estaba en la gloria. Tenía la pelota que nunca esperé tener... Años después, al pensar sobre el evento, llegué a la conclusión de que la alegría se comparte; la alegría hace a la gente impersonal, hermosa y generosa. Es en momentos de alegría que las capas más profundas del «corazón» vienen a la manifestación.

2. La alegría elimina de los vehículos emocional y mental, los elcmentos negativos, destructivos y egoístas. La energía de la alegría purifica y expande tu consciencia. Cada momento de alegría permanece dentro de tu naturaleza como un reservorio de energía para futuro uso. Las personas alegres son más creativas y más productivas, y viven por más tiempo. Esparcen salud y felicidad a su alrededor.

3. La alegría incrementa tu magnetismo a pensamientos, ideas, impresiones y energías superiores. El momento máximo de inspiración para nuevas ideas, nuevas visiones, nuevos planes y nuevos avances, es el momento cuando tu corazón está alegre.

4. La alegría eleva el poder de tu resistencia y te ayuda a vencer muchos obstáculos en el sendero de tu labor. Cuando estás alegre, puedes trabajar diez horas ininterrumpidas sin sentirte cansado ni deprimido. Pero cuando empiezas un trabajo con quejas y negatividad, pronto te sentirás cansado.

La alegría hace que asimiles prana. Así como determinadas vitaminas no pueden ser asimiladas si no se ingieren otros elementos con ellas, de manera similar el prana de esferas superiores no puede ser asimilado si no hay alegría. Incluso digieres mejor tu alimento cuando estás alegre. El prana energiza tu sistema y hace que seas capaz de soportar diferentes condiciones. Cuando las dificultades van en aumento, la alegría provee más energía para vencerlas.

5. La alegría aclara tu mente y sensibiliza tu corazón. El momento más sensible de tu vida es el momento en el que estás alegre.

Un día mi Padre me llevó a un sitio en el que se celebraban ciertas danzas sagradas. Me alegré muchísimo al ver los vestidos coloridos y los intrincados y sutiles movimientos de las manos y pies de los danzantes, y al escuchar la música extremadamente conmovedora. Llegó un momento en el que me puse a llorar de alegría y tristeza.

Mirándome a los ojos, mi Padre me dijo: «Tienes lágrimas de alegría, pero también veo tristeza en tus ojos... ¿Por qué?».

Acerqué mis labios a su oído y le contesté: «Desearía que aquí estuvieran también mis hermanas para disfrutar de estas danzas».

Sus ojos se llenaron de lágrimas, y me abrazó.

Cuando una alegría pura toca tu corazón, quieres compartirla al menos con las personas que más amas, o con quienes están más privados de ella. Me di cuenta que incluso nuestra memoria se hace más brillante en la luz de la alegría.

6. La alegría carga a tus colaboradores y los vuelve más eficientes en su labor. Un líder alegre puede lograr mayores tareas que alguien que siempre está sintiendo lástima de sí mismo. Una secretaria alegre produce más trabajo que una que está atorada en pequeños problemas. Una persona alegre es como un dínamo que continuamente imparte energía hacia los corazones de sus colaboradores.

7. La alegría llama la atención de las huestes angélicas y de los Grandes Seres. Las emanaciones de alegría permiten que los Seres Invisibles se acerquen a tu esfera y se comuniquen directamente contigo, te inspiren y te ayuden. Tu alegría Les convence de que no usarás mal Sus tesoros; no enterrarás los «talentos», sino que harás buen uso de ellos.

Las emanaciones de la alegría crean una sinfonía de colores en torno de tu aura y son una señal para las huestes angélicas. Así como uno es atraído por una flor hermosa o una bella melodía, de la misma manera, los «lotos» supermundanos son atraídos hacia quienes irradian la belleza de la alegría.

Una vez, un gran Instructor dijo: «Si aunque sea por una vez escucharan las canciones que cantamos durante Nuestra labor, comprenderían la profundidad de Nuestra Alegría»[11].

11. Extraído del Cap. 31 de *Challenge for Discipleship*, por Torkom Saraydarian.

12

LA ALEGRÍA Y EL RECUERDO DEL HOGAR

Dentro de cada ser humano existe el «recuerdo del Hogar». El recuerdo del Hogar es un recuerdo muy bello, una sensación de que alguna vez, la Chispa o el Espíritu dentro de nuestro corazón, fue parte del Sol; fue parte de la Existencia omnipotente, omnipresente y omnisciente de la cual la chispa fue proyectada hacia el espacio como un Rayo, y eventualmente fue atrapada en el mundo de la materia, la emoción y la mente.

El Hogar es la dicha o la beatitud totales, cuyo recuerdo permanece todavía en nuestros corazones como la esperanza y el sendero por el que regresaremos al Hogar. Así, cada Chispa de vida tiene la urgencia de ser feliz, estar alegre y dichosa.

Sentimos que nuestro estado actual no es el estado en el que queremos estar. No tenemos un estado de satisfacción permanente, por lo que queremos algo diferente, algo más, y no sabemos todavía con claridad qué es lo que estamos buscando. Hay un débil recuerdo de ello y en los raros momentos de felicidad, alegría y dicha, sentimos que nos estamos acercando al Hogar.

Todo lo que queremos hacer, todo lo que queremos ser en este mundo es ser felices, estar llenos de dicha, o ser esa dicha. Todo lo demás son modos y medios para alcanzar la Fuente de nuestro recuerdo.

En los *Upanishads* se dice: «Tat tvam asi». Tú eres eso; tú eres la dicha suprema en tu Esencia; tu Ser es parte de esa Vida de la que provinieron todas las cosas.

Es muy interesante que, cegados por nuestra ignorancia y vida materialista, buscamos la dicha en nuestra felicidad física, en nuestros placeres emocionales, en nuestros planes y lógica, en el dinero, en posesiones y posiciones, en diplomas, en nuestros rangos y títulos... Después de buscar y alcanzar todo lo que queremos, nos damos cuenta de que la verdadera alegría y la verdadera dicha no se encuentran en aquellas cosas... y preguntamos: «¿Dónde puedo encontrar satisfacción para mi corazón sediento?».

La respuesta nos es dada por los Sabios: «La dicha está dentro de ti; la dicha eres tú. Encuéntrate contigo mismo, sé tú mismo, y hallarás las respuestas a tus preguntas».

Cuando nuestra consciencia está enfocada en nuestras naturalezas física, emocional o mental, siempre estamos temerosos. Hay tres áreas principales en las que nuestra consciencia puede enfocarse en los reinos físico, emocional o mental:

1. La consciencia de la personalidad ve las cosas según como aparecen. Está condicionada por la muerte, la desintegración, la enfermedad, la pérdida, la soledad, el dolor; por diversas necesidades; por las cosas que quieres tener y no tienes; y por las cosas que tienes, pero pierdes. Se basa en el temor, la codicia, el odio y la ira.

Frecuentemente nuestra felicidad está basada en un negocio exitoso, pero vemos que éste no dura para siempre. Pasan cosas y el negocio va mal. Muchos grandes negocios fueron destruidos por un terremoto, por una epidemia, por un huracán, por la muerte de ciertos ejecutivos, por la guerra o por la revolución. La felicidad basada en cosas que no son permanentes ha sido siempre portadora de las semillas de la aflicción y la miseria.

2. Cuando nos identificamos con nuestros placeres u objetos emocionales, somos felices. Pero luego experimentamos amargura y dolor cuando perdemos nuestros objetos emocionales con sus placeres. Eventualmente aprendemos que no hay felicidad permanente en nuestros objetos emocionales porque vienen y se van con placeres mixtos y tristezas inherentes. Pero la búsqueda continúa. Sin importar cuántas decepciones la vida nos dé, seguimos buscando la felicidad hasta que gradualmente viramos hacia un plano superior de existencia.

3. Empezamos a buscar nuestra felicidad dentro de los reinos mentales. Los objetos mentales atrapan nuestra atención porque vemos que hay más estabilidad y permanencia en el plano mental que en los dos planos previos – los planos físico y emocional.

En el plano mental, algunos de nosotros buscamos nuestra felicidad en soñar despiertos, en la religión, la filosofía o en ideologías, pero eventualmente encontramos que todo eso tampoco nos da la satisfacción ni la alegría que estamos buscando.

Cuando nos identificamos con nuestras formas de pensamiento, nuestra religión, filosofía o ideología, estamos siempre en un estado de temor de perderlas. Este temor nos conduce a acciones destructivas en las que se hallan las semillas de la aflicción y el dolor. El destino de los fanáticos de todas las épocas es un testimonio de este hecho.

Un fanático es una persona que se identifica con su religión o con sus supersticiones raciales o nacionales que eventualmente se convierten en una carga sobre su espalda y la fuente de su sufrimiento.

También existe la tendencia a buscar la alegría y la dicha en altas posiciones o carreras. Es posible tener una alegría temporal con objetos mentales e intereses mentales; sin embargo, eventualmente descubrimos que es posible ser abogado, pero no necesariamente una persona feliz; que es posible ser médico, pero no necesariamente una persona sana; que es posible ser un científico espacial, pero no necesariamente una persona contenta; que es posible ser el presidente de una gran nación, pero estar agobiado por pesados sentimientos de culpa o frustraciones.

La búsqueda de la felicidad en todos estos campos finaliza con la decepción. En última instancia, descubrimos que tuvimos gotas de alegría sólo en aquellos momentos creativos en los que tratamos de servir, elevar y traer alegría a los demás durante nuestra búsqueda por la felicidad en nuestros objetos físicos, emocionales y mentales.

Estaba conversando con un cardiocirujano que estaba a punto de morir. Me dijo: «Muero como un hombre infeliz porque todo lo que hice estuvo ciegamente motivado por cobrar miles de dólares. Me casé con una mujer muy bella que era la esposa de mi mejor amigo; después me divorcié de ella porque encontré una muchacha más joven y luego ella murió en un accidente. Ahora todo está terminando en tragedia... Mi riqueza va a parar a mis hijos, que se drogan día y noche...» .

Sólo pude decirle una cosa: «Tendrás más posibilidades de buscar tu alegría en los valores más permanentes de la vida en otro ciclo».

Nuestra felicidad física, emocional y mental se intensifica cuando integramos los vehículos de nuestra personalidad — nuestras naturalezas física, emocional y mental — y disfrutamos nuestros días soleados como un mecanismo unido. Así, nuestra personalidad integrada está internamente contenta pero sujeta a aquellas condiciones externas que se relacionan con la vida física, emocional y mental.

El ser humano es como un bote en el océano. Disfruta de unos pocos días de sol y luego es atrapado por el viento, la lluvia o la nieve. Luego pasa alternadamente por días de oscuridad y de sol. Su felicidad tiene siempre corta vida.

Cuando la personalidad del hombre está sana y en un estado de satisfacción con lo que tiene, con lo que siente, y con lo que sabe y es, entonces experimenta una felicidad intensa. Muchas personalidades fueron temporalmente felices en el océano de sus posesiones físicas, placeres emocionales e intereses mentales. Pero cuando llegaron las tormentas, perdieron todo lo que tenían porque su tesoro era transportado en el bote de la personalidad.

La felicidad está relacionada con la personalidad, y la primera fase de la búsqueda de la dicha se lleva a cabo en el campo de la personalidad, en donde sólo existe un débil destello de felicidad.

Buda dijo en una ocasión: «Todo es sufrimiento – el nacimiento es sufrimiento, la vida es sufrimiento, la muerte es sufrimiento». La razón de este sufrimiento está en que el hombre se identifica con sus intereses físicos, emocionales y mentales. Debemos pasar por tales experiencias de insatisfacción en el nivel de la personalidad antes de empezar a buscar la dicha en otra parte. La decepción de la personalidad como un todo causa un nuevo gran avance hacia una dimensión nueva.

Conocí a una muchacha de veintiún años extremadamente bella, a quien dejé de ver durante veinte años. Un día una mujer de mediana edad vino a visitarme y me preguntó: «¿Me conoces?».

Le contesté: «Tus ojos me resultan familiares, pero no recuerdo dónde nos conocimos ni cómo te llamas».

Se veía como una bruja; su rostro estaba arrugado, sus ojos habían ennegrecido, su cabello estaba en una condición desesperada, y olía fuertemente a alcohol. Me dijo: «Soy muy infeliz. ¿No te acuerdas de mí? Soy B...».

«No puedo creer lo que estoy viendo».

«Sí», me dijo, «Soy fea, ¿verdad?».

«¡Dios mío!».

Cayó en mis brazos y se puso a llorar.

«¿Qué te sucedió? ¿Por qué no me contactaste?».

«No lo sé. Quiero morir».

«¿Por qué?».

«Porque perdí mi belleza, y porque al perder mi belleza, perdí a mis amigos; porque perdí a mis amigos, perdí mi trabajo».

«Puedes volver a ser bella».

«¿Con semejante cara?».

«La belleza no se halla en nuestro rostro ni en nuestro cuerpo; la belleza está en nuestros corazones y en nuestras almas, en nuestras ideas y sueños, en nuestro servicio sacrificado, en Cristo. Puedes volver a ser bella nuevamente si buscas eso - no en tu personalidad, sino en tu alma. Cuando el alma brilla, hasta las rocas irradian belleza».

«¿Puedo volver a encontrar mi felicidad?».

«No tienes necesidad de ser feliz, lo que necesitas es estar alegre».

«¿Alegre?».

«Sí, alegre. Para hallar la alegría, no la buscarás en los sitios en los que la estabas buscando, sino más allá de tu personalidad — en tu Centro Interior».

«Nunca cambiaste», se dio cuenta. «¿Cómo es que no me odias con esta forma?».

«Eres bella siempre, y porque ahora estás decepcionada, un nuevo sendero se abre frente a ti».

Nadie puede realmente avanzar en una búsqueda superior si los cimientos sobre los que está parado no son sacudidos y destruidos. Necesitas una crisis para lograr avances. El viento y la tormenta deben llegar y golpear tu existencia, y poner a prueba tus cimientos. ¿Están tus cimientos basados en tu cuenta bancaria, en tu estado de salud actual, en tu posición social, en tus amistades? Todo esto te puede ser quitado en una tormenta si tus cimientos no se alzan sobre tus logros espirituales y tu toma de consciencia. Si tus cimientos se asientan sobre la sólida roca del Ser Transpersonal dentro de ti, entonces ningún poder podrá destruirlos. Sólo en la consciencia del Alma puedes probar la belleza de la alegría.

Primero, eras un bote; ahora eres una nave espacial que se remonta hacia el Espacio, libre de los destructivos efectos de las olas, las tormentas, los relámpagos, las nubes y los terremotos.

Un alma consciente es belleza y alegría indestructibles. Por ello, la próxima etapa en la búsqueda de la dicha es la consciencia del Alma. Esta es la etapa en la que la alegría se inicia. Te hallas en el Alma, y tu realización es diferente. En vez de estar sujeto al temor, la ira, el odio y la codicia, estás en los dominios del Alma, cuyas principales características son:

- Amor.
- Inmortalidad.
- Servicio.
- Alegría.
- Contacto con el Plan de la Jerarquía.
- Creatividad.

El amor es la habilidad para identificarse con el aspecto-vida de la manifestación.

La inmortalidad es la toma de consciencia que uno era, es y será siempre una existencia individual. La inmortalidad no puede ser enseñada, sino que debe ser experimentada. Ella es el resultado de la realización espiritual.

Una característica del Ser Transpersonal es el amor, un amor que se da sin expectativa ni anticipación. A medida que das más amor, tienes más alegría. Las expectativas se relacionan con los planos de tu personalidad.

El servicio es la habilidad de poner en todas tus actividades el fuego solar del amor y el fuego del Plan. El Plan puede ser contactado en los niveles del Alma. Es una experiencia, no una enseñanza. El Plan es el mapa que te muestra cómo regresar al Sol del que fuiste irradiado. El Plan es el mapa que te muestra cómo debes liberarte de la trampa de tus cuerpos físico, emocional y mental, y alcanzar el estado de consciencia que originalmente tenías.

Todas las actividades humanas son esfuerzos para escapar de las prisiones que construimos, o las prisiones que otros construyeron para nosotros. Toda labor humana es el esfuerzo para escapar de las condiciones que odiamos. El Plan nos muestra cómo salir de nuestras prisiones.

El servicio es la habilidad de expresar el fuego del Plan por medio de todo lo que pensamos, sentimos, hablamos y hacemos.

En la consciencia del Alma tenemos la primera experiencia de verdadera alegría. La alegría es darse cuenta de que ya no eres vulnerable, de que no puedes perder nada, de que grandes logros están esperándote, de que puedes elevar a la gente al nivel de la consciencia del Alma donde saborean la verdadera alegría, de que ahora puedes ver las cosas como son — no como parecen ser.

A menos que alcancemos consciencia del Alma, no podemos comprender el verdadero significado de invulnerabilidad.

«Las armas no pueden herir al Ser, ni el fuego puede quemarlo. El agua no puede empaparlo ni puede el viento secarlo. No puede ser dividido. Es eterno y lo impregna todo»[12]. Tal experiencia puede lograrse con la consciencia del Alma. A medida que profundizas en tu alegría, te acercas más a ti mismo. En la alegría, te das cuenta de que no puedes perder nada.

En la escuela teníamos un instructor muy hermoso que tenía el hábito de sacar su reloj de oro del bolsillo y ponerlo sobre la mesa. Un día entró en el aula y preguntó si alguien había visto su reloj. Los alumnos le dijeron que no. Él era mi Instructor favorito y me sentí enojado de que alguien le hubiera quitado su reloj. Fui a verle y le pregunté: «¿Quién piensa que pudo habérselo robado?».

«No me lo robaron», me contestó.

«Entonces», pregunté: «¿qué le ocurrió?».

«Alguien lo está usando».

No pude comprender el secreto de su comportamiento; él siempre tenía un gran flujo de alegría en todas sus expresiones. Era una persona alegre.

En este caso, mi instructor me dio la posibilidad de vislumbrar que en cierto estado de consciencia, no pierdes nada porque cuando estás en la consciencia del Alma, no posees nada.

En una ocasión, Cristo dijo: «No temas a quienes tratan de matar tu cuerpo, sino a quienes tratan de matar tu alma». No tengas temor de aquellos que tratan de atacar tu sombra,

12. *Bhagavad Gita*, 2:23-24, traducido por Torkom Saraydarian.

pero sé cauto con aquellos que tratan de destruir tus principios espirituales, tus visiones, tus virtudes, tus valores.

La alegría le hace darse cuenta a la persona que grandes logros están esperándole en el futuro. La visión del futuro es una alegría siempre creciente en nuestros corazones.

En la consciencia del Alma, no importa a través de qué cosas esté pasando la vida de tu personalidad, hay un mañana, hay un nuevo amanecer porque el Alma no está limitada por los fracasos del tiempo, del espacio y de la materia. Hasta los fracasos de la personalidad pueden ser utilizados como leña para la hoguera del Alma.

El mayor fracaso de una persona está contenido en sus acciones dirigidas contra la Ley del Amor.

La alegría brinda a una persona la convicción innata de que ella puede elevar a alguien hacia el nivel de la alegría y alegrarle.

Una vez yo estaba ayudando a un muchacho que se drogaba a más no poder. Eventualmente, él venció su hábito, se dedicó a correr y empezó a trabajar y estudiar. Luego de estar convencido de que éste era un cambio permanente en su ser, sentí una gran alegría. Fui a mi habitación y me pregunté: «¿Por qué estás tan alegre?». «Vaya, un gran peso se ha ido de mis hombros». «¿Qué peso?». «El peso de consumir drogas».

Cada vez que ayudamos a alguien, nos ayudamos a nosotros mismos. En la consciencia del Alma, la fragancia de la alegría irradia cuando te comprometes a trabajar ayudando a los demás sin esperar nada a cambio.

En la consciencia del Alma, tienes los ojos para ver las cosas como son, no como parecen ser. Cuando una persona toma las apariencias como reales, queda atrapada en el cambio. La alegría es inmutable — en lo mutable.

Se dice que la Ley del Cambio tiene vigencia eterna. Esto es verdad respecto del mundo de los fenómenos, pero no es verdad respecto del mundo del Espíritu. Perdemos nuestro estado inmutable y quedamos atrapados en los fenómenos cambiantes de la vida a medida que nos identificamos con los vehículos de nuestra personalidad.

En la consciencia del Alma el hombre entra en contacto con el plan de su vida y eventualmente penetra en el Plan que la Jerarquía para la humanidad. Es muy interesante notar que el plan de nuestra vida se halla en nuestra Alma, y el Plan para la humanidad se halla en la Jerarquía. Al tener un contacto con el Plan, una persona se convierte en colaborador de Grandes Servidores de la raza humana. El Plan es formulado de modo tal que opera para el bienestar de la humanidad y para el bienestar de cada ser humano.

Una persona que con consciencia del Alma trata de traer el Plan a la vida diaria para ayudar a todos, de todos los modos posibles, en todo, a fin de poder conducir a las personas desde las prisiones de la personalidad hacia la libertad del Alma, en la que puedan experimentar alegría.

La siguiente característica del Alma es la creatividad. Hay una gran alegría en la creatividad porque la creatividad es el proceso de dejar que las energías del Plan fluyan y nutran las Chispas del Infinito en cada forma viviente.

En la presencia de personas realmente alegres, otras personas florecen. La alegría es energía, y esta energía nutre los centros superiores de los seres humanos con la sustancia del fuego mental superior. Entonces las semillas ocultas de bondad, belleza y verdad vienen a la vida en ellos.

La alegría no estimula los centros inferiores porque posee una frecuencia especial, elevada, que no pueden recoger los centros inferiores. La alegría no sobre-estimula los centros inferiores.

Después de que una persona demuestra que puede vivir con alegría y ser una encarnación y una fuente de alegría, se le permite penetrar en la esfera en la que se hallan la dicha y el éxtasis. Esta esfera, en la terminología esotérica, es llamada la Tríada Espiritual.

Una vez oí decir que había un hombre en el Lejano Oriente quien era un ser humano avanzado. Tuve grandes deseos de verle. Cuando finalmente ubiqué su lugar de retiro, sus discípulos me dijeron que no podría verle porque él estaba en meditación. Fingí que no tenía más interés en verle, pero descubrí un modo de llegar a su habitación, en donde estaba sentado en meditación. Él estaba en éxtasis. Había paz en su habitación que casi podías tocar. Su rostro irradiaba luz y belleza.

Me acerqué más y sentí una energía ígnea en mi piel. Era una alegría que quemaba. Me acerqué más y más hasta que me senté junto a él. Pocos minutos después, mis ojos se cerraron y yo no estaba en ninguna parte. Sólo sentí una gran alegría, dicha y unificación con todo lo que existe. Cuando más tarde mi consciencia regresó a su nivel normal, me dije a mi mismo: «Esto es dicha. Es un estado de consciencia en el que trasciendes tiempo, espacio y materia».

Luego de anclarme en el plano mental, lentamente volví a ese estado dichoso en el que recibí instrucciones no verbalizadas. No sé cuánto tiempo estuve en ese estado. Sentí un brazo alrededor de mis hombros y mi cuello. Abrí los ojos y miré en sus ojos. Por primera vez en mi vida, vi el Infinito. Sus ojos eran puertas que conducían hacia el Infinito.

El no habló; me abrazó y me dio una gran sonrisa. Regresé hacia la puerta sin darle la espalda, continuamente dándole la cara y mirándolo.

En la Tríada Espiritual contactamos con la dicha. Y es desde la dicha que la belleza se irradia.

La Tríada Espiritual es el dominio del Infinito en donde hay Síntesis, hay Propósito, hay Voluntad.

Siete enemigos de la Alegría

El primer enemigo es cualquier acción que cause o genere temor en otras personas. De donde hay temor, el ave de la alegría vuela lejos.

El segundo enemigo de la alegría es la ira. En cualquier momento en que actúes con ira, te privas de tu alegría. Todo lo que haces para que los demás se enojen, quita la verdadera alegría de la vida de tu corazón. La ira puede satisfacer a tus emociones, pero no a tu corazón.

El tercer enemigo de la alegría es la codicia. Cada vez que tienes codicia en tu corazón, careces de alegría. La codicia es simbolizada por una tumba sin fondo que nunca puede ser llenada con cadáveres humanos. Las personas más infelices son las personas codiciosas. Sus momentos de felicidad sólo los aseguran con dinero, objetos, licor, o por cortos momentos de placer. Aún en esos momentos de placer, sienten el temor de perder su felicidad. He visto muchos hogares deshacerse debido a la codicia del padre, quien estaba tan ocupado en hacer dinero que casi se olvidaba de que tenía una familia.

El cuarto enemigo de la alegría es el odio. Cualquier persona que tenga odio en su corazón, o cualquier grupo o nación que esté contaminado por el odio, jamás probará el resplandor de la alegría, ni en el presente ni en el futuro.

La alegría es la consciencia conectora que te hace dar cuenta de que eres uno con todas las cosas. El odio es el sentimiento del separatismo. Con el odio, cortas muchos cables de electricidad dentro de tu sistema y dentro del sistema de las relaciones internacionales, y cuando apagas el interruptor de la alegría, no tienes alegría ni luz. Es muy interesante notar que con la alegría tu luz aumenta; tienes discernimiento más puro y un mejor sentido de los valores. Con el odio, tu luz disminuye y tu sentido de valores altruistas es casi nulo.

Recordemos que las acciones realizadas con temor, ira, odio y codicia crean mucho karma malo en nuestro sendero.

En la consciencia del Alma hay amor. El amor te purifica y te guía a la esfera de fuego de la Tríada Espiritual. En la consciencia de esa esfera de fuego, saboreas la poderosa dicha que tuviste cuando todavía eras uno con el Espacio indiviso. Esa dicha era una dicha inconsciente, y ahora tu labor es alcanzar esa dicha con tu propio esfuerzo y por derecho propio.

El quinto enemigo de la alegría es la fealdad. En una ocasión, yo estaba visitando a una familia y el padre trajo un regalo de cumpleaños para su hijo de seis años. Era una criatura de cabeza cuadrada y con cuernos, un ojo miraba hacia el este, el otro hacia el oeste, las orejas colgaban como bananas, las piernas eran largas y flacas como ramas secas, un brazo era gordo, el otro puro hueso. Se trataba de una encarnación de la verdadera fealdad.

«Oye», exclamé, «no le des esa criatura horrible a tu niño; le deformará la imaginación. Deshazte de esa fealdad». ¿Por qué no pudo traer algo bello, algo que inspirara al niño y le diera alegría?

Una vez, un productor cinematográfico me dijo que las películas sobre criminalidad traen más dinero que cualquier otro tipo de película. «Sí», le contesté, «puede ser que sí, pero ¿dónde te vas a esconder cuando el crimen se incremente alrededor de ti?».

«Para entonces», me respondió, «¡tendré suficiente dinero para irme a otra parte!»

La fealdad trae dinero, pero no alegría.

Cuando aquel productor se aprestaba a marcharse con su auto, cargó un arma y se sentó sobre ella. «Dios mío», pensé, «él ya está con temor».

El sexto enemigo de la alegría es cualquier acción que no está basada en la buena voluntad. Semejante acción te quita la alegría.

El séptimo enemigo de la alegría es cualquier acción que no está basada en la verdad. Las mentiras te quitan la alegría.

En última instancia, la alegría es verdad, belleza y bondad. Es la habilidad para erguirte dentro de la consciencia del Alma.

¿Cómo podemos ascender a ese nivel de la consciencia del Alma

1. Meditando acerca de las virtudes. En la meditación, nos apartamos del temor, del odio, de la codicia y de la ira, y de sus consecuencias y conexiones, y permanecemos bajo la luz de nuestro Guía Interior.

2. A través del pensamiento causal, porque nos libera de quedar atrapados en el mundo de los fenómenos. El pensamiento causal es la habilidad de penetrar en las raíces de los eventos o encontrar la causa originaria, en lugar de estar atorados en los resultados y efectos.

3. Llevando una vida de belleza en todas nuestras expresiones. Un Gran Sabio, al hablar sobre la alegría, dice: «Es útil impregnar el espacio con alegría… La alegría es la salud del espíritu»[13].

El primer paso hacia la alegría consiste en la meditación científica, mediante la cual eventualmente alcances la fusión con el Alma. La meditación científica es un esfuerzo en penetrar en la mente del Pensador verdadero, el cual es el Alma. Éste es el Ser Transpersonal o el Guía Interior.

En la meditación científica empiezas a controlar, disciplinar y despejar tu mente para que obedezca totalmente tus órdenes y no se convierta en víctima de los pensamientos o sugestiones provenientes de otras mentes.

Hay una enfermedad seria en el mundo, que podemos llamar «abandono del barco». La gente permite que otras personas usen su «barco» mental, a través del hipnotismo, sugestiones, fuerza y otras influencias. Mientras nuestra mente no nos pertenezca, no podemos pensar – y si no podemos pensar, aquellas personas que piensan a través de nosotros nos controlarán.

La Enseñanza nos dice que no debemos permitir que otras mentes gobiernen nuestras mentes. Debemos usar nuestras propias mentes y aprender a pensar. La meditación es el primer paso hacia esa libertad.

La alegría permanece con aquellos que saben cómo pensar. El verdadero pensar nos conduce hacia la libertad. El verdadero pensar es el único medio para escapar del encarcelamiento del Espíritu en cualquier forma. Por ello, en el sendero de la alegría, aprendemos cómo pensar, cómo meditar.

La auto-actualización no puede alcanzarse cuando otras personas usan tu mente. Tu mente es tu volante de dirección.

13. Agni Yoga Society, *Mundo Ardiente*, Vol. I, párrafo 298.

Cuando otras personas controlan tu mecanismo de dirección, no tienes forma de saber hacia dónde te están llevando.

El segundo paso hacia la alegría consiste en cuestionar. Los eventos diarios, los eventos nacionales e internacionales, no existen sin causas. Pregúntate por las razones por las que estos eventos tuvieron lugar. Desarrolla observación de las causas. Trata de ver la causa detrás de cada hecho. Esto te revelará muchas leyes, principios, motivos e intenciones escondidos detrás de muchas relaciones y actividades. comprender las causas te ayudará a dirigir tus pasos en concordancia con la meta.

Trata de considerar la causa, no la manifestación. No reacciones ante los efectos sino ante las causas, siempre que sea posible. El auto-engaño desciende sobre nosotros cuando nos ocupamos de los fenómenos y olvidamos las causas o las razones de los porqués.

Cuando continúas buscando la causa de los eventos, eventualmente desarrollarás una vista «en doble nivel», la cual lee las líneas y también lee las entre-líneas de los eventos.

El tercer paso consiste en vivir una vida de belleza en nuestra personalidad, hogar, habla, modales, conducta, relaciones, respuestas emocionales, pensamientos, ideas, visiones y expresiones. Cuando expresamos belleza, el fuego de la alegría aumenta en nuestros vehículos e irradia, calentando el corazón de los demás. La verdadera alegría se manifiesta a través de la belleza porque la alegría es la expresión del Alma. La dicha es la expresión del Ser.

La alegría abre el corazón de la gente; las personas te hablan y se confiesan contigo cuando ven que dentro de ti hay abundante alegría. La alegría construye líneas de comunicación, da fuerza y te conduce hacia el éxito. Cualquier labor iniciada con alegría será una labor exitosa.

La alegría nunca amenaza a las personas. Éstas se sienten seguras en presencia de una persona alegre porque una persona alegre está por encima de los intereses de la personalidad. Su naturaleza es amor.

Trata de liberarte, de renunciar y desapegarte y de pagar tus cuentas alegremente. Renuncia alegremente y vive alegremente si quieres que tu vida sea una bendición para el mundo.

Un gran Sabio, al hablar sobre la alegría, dice:

> *...Se han cruzado abismos gracias a la alegría y la confianza. No sólo la valentía sino precisamente la alegría es la que te vuelve invulnerable.*[14]

También:

> *La manifestación de la alegría es acompañada por la intensificación del trabajo de los centros. Muchos logros se alcanzan por la manifestación de la alegría.*[15]

El temor crea la duda. La duda desperdicia energía. La alegría aniquila el temor.

La alegría incrementa nuestra audacia. Uno es audaz cuando no hay temor en su corazón.

Psicológicamente los momentos oscuros de la vida pueden atravesarse solamente por medio de la alegría. La alegría mantiene tu motor en marcha. La alegría aclara la visión de tu mente. El temor, la depresión y la duda envenenan la sangre y el cerebro, y la mente no puede ver las cosas como son. Una corriente sanguínea envenenada es la causa de la mayoría de nuestros fracasos y juicios erróneos.

La alegría crea radiactividad en el aura, la cual repele todos los pensamientos indignos y las emociones negativas, y construye un escudo alrededor del cuerpo. Un corazón alegre no puede ser herido por las flechas de las fuerzas oscuras.

---

14. Agni Yoga Society, *Mundo Ardiente,* Vol. II, párrafo 110.
15. Agni Yoga Society, *Agni Yoga*, párrafo 459.

Los centros etéricos se intensifican con la alegría porque la alegría es el fuego del Alma, y su llama crea radiactividad en los centros y sincroniza sus ritmos. Por ello, la alegría superior expande las esferas de fuego de los centros superiores, los que ponen la consciencia del hombre en contacto con los planos superiores. Estos son los momentos de nuevas tomas de consciencia y nueva visión interior. Los nuevos logros se llevan a cabo debido a ese contacto y a esa intuición.

La llama de la alegría es el fuego que emana del centro del Cáliz, del centro del Loto de doce pétalos en la mente superior. Es esta llama la que guía los pasos del hombre hacia el Recóndito Santuario Interior — el Hogar[16].

16. Tomado de los Caps. 10-11, *La Llama de la Belleza, la Cultura, el Amor y la Alegría*, por Torkom Saraydarian.

13

EL AMOR Y LA ALEGRÍA

Hay tres energías básicas que, cuando se las usa con inteligencia, hacen que una persona sea saludable, rica y creativa. Estas tres energías son la luz, el amor y la voluntad. La luz y la voluntad se combinan para producir alegría. Cada vez que tu luz y tu poder de voluntad se incrementan, entras a una alegría mayor.

Una persona iluminada está siempre en alegría continua porque en el momento de la verdadera iluminación, entra en contacto con la energía del poder de la voluntad dentro de su naturaleza, y el aspecto voluntad comienza a controlar. La iluminación expande el horizonte de la alegría; el poder de la voluntad da estabilidad a la alegría. Una persona alegre irradia. Todas sus acciones a cualquier nivel son creativas porque las raíces de sus acciones se extienden hacia el reino de la alegría.

La alegría combinada con el amor produce la energía de la sanación y la energía de la atracción. En la presencia de una persona amorosa y alegre, las posibilidades creativas florecen en tu corazón. Te haces magnético y atraes a todos aquellos que trabajarán para ti y para su propio éxito. Tu amor y alegría los inspira y carga, y ellos dan todo lo que pueden para incrementar la fuente de su alegría y amor. Las personas buscan alegría y amor, y cuando los hallan, nada puede impedir que sacrifiquen todo lo que sea necesario para sostener esa fuente de amor y alegría.

El amor es nuestra Esencia. Cuando amamos, liberamos nuestra Esencia. «Vivir» significa llevar tu Esencia a expresión, a liberarla. El único momento en que realmente vivimos es el momento en el que amamos, cuando nuestra Esencia Interior está en manifestación. La medida de nuestra vida es la medida de nuestro amor. Vives tanto tiempo como amas. Si «viviste» noventa y cinco años, pero sólo amaste durante un año, no viviste noventa y cinco años sino sólo por un año — nada más. El resto fue una pérdida de tiempo. Puedes en realidad escribir sobre la lápida de tal persona:

«Aquí yace el señor Fulano de Tal.
Nació en 1885
y falleció en 1980
pero vivió sólo un año.»

La gente se sorprenderá, pero no importa, pues eventualmente se darán cuenta que una vida vivida para uno mismo no cuenta. Es sólo una vida vivida para el servicio de otros la que cuenta. Esa vida de servicio es una vida de amor y alegría.

Al amar, liberas a tu Ser Esencial — la vida condensada e individualizada. La vida es creativa. No sólo se manifiesta por medio de pensamientos, sentimientos y acciones creativos, sino que también hace que los otros sean creativos y radiactivos

En cada acto de verdadero amor, estás manifestando tu Centro Interior. Cuando tu Esencia está en operación, en expresión, estás vivo. Estás vivo cuando expresas amor.

La alegría y el amor operan a través de nuestros cinco sentidos en los planos físico, emocional y mental. Cuando la energía de la alegría y el amor operan a través de nuestros cinco sentidos en el plano físico, crean una persona feliz. A través de todos sus sentidos, tal persona disfruta del Universo. Sus sentidos operan a su máxima capacidad y le transmiten la emoción del mundo objetivo.

Son tu amor y tu alegría los que transforman el mundo cuando los contactas con tus cinco sentidos. Nada parece agradable y delicioso si la energía del amor y de la alegría no fluye a través de tus sentidos y entra en contacto con el mundo de los cinco sentidos. Cualquier cosa que tú oigas, toques, veas, saborees y huelas transmitirá tu placer y felicidad cuando estás lleno de amor y alegría.

La energía del amor y la alegría en el plano emocional crea aspiración, éxtasis, devoción ardiente y unidireccionalidad hacia valores superiores.

En el plano mental, la energía del amor y la alegría crea una visión mayor, esfuerzo creativo, comprensión, visión interna, sagacidad, percepción sintética y creatividad. El amor y la alegría dan poder a tu mente para penetrar en misterios mayores de contacto más elevado y la habilidad para sostener tu libertad en todos tus contactos.

Los problemas del mundo pueden resolverse con la energía del amor y de la alegría. Trae amor y alegría a las sesiones de las Naciones Unidas, y los problemas del mundo perderán su control y gradualmente se derretirán.

El amor y la alegría funcionan también en planos más elevados. Por ejemplo, en el Plano Intuicional, el amor y la alegría crean revelación. Cuando tocas la red de causas y patrones básicos, entonces todos los eventos externos se simplifican en tu visión amorosa e irradiante de alegría.

En el Plano Átmico, la energía del amor y la alegría se convierte en el poder de voluntad, entusiasmo, intrepidez y mando.

En el Plano Monádico, el amor unifica a la persona con la «totalidad solar», y la alegría se vierte como energía creativa, purificando, energizando, iluminando e impresionando con la Belleza Divina de los reinos superiores.

En el Plano Divino, la alegría se convierte en una puerta a través de la cual las llamas de la luz, el amor y el poder pasan a las dimensiones Cósmicas.

El amor y la alegría son los cimientos de cualquier trabajo creativo y progresista. No hay alegría real y verdadera si esa alegría no está imbuida de amor. El amor no puede existir sin alegría.

La energía del amor y la alegría:

1. sana.
2. armoniza.
3. expande.
4. crea magnetismo.
5. revela.
6. eleva.
7. fortalece.

1. El amor y la alegría sanan. Sanan heridas y enfermedades físicas, emocionales y mentales, alinean e integran los centros físicos y etéricos, y purifican el cuerpo astral, construyendo el camino de la sublimación para los centros sacro y plexo solar.

El apego emocional, los deseos bajos, los espejismos y las emociones negativas son lentamente lavadas por la energía creciente de la alegría y del amor. Si uno ejerce la alegría y el amor durante media hora diariamente, será una nueva persona en muy corto plazo.

La energía del amor y la alegría tiene un gran efecto sobre la salud mental. En una atmósfera amorosa y alegre, la mente se agudiza y aclara, con un poder creciente de visión interior y previsión. El amor vincula a una persona con el reino de la

Intuición. La alegría construye el puente hacia los Mundos Superiores.

2. El amor y la alegría tienen un gran efecto armonizador sobre nuestra naturaleza física, emocional y mental. Crean armonía en los grupos y elevan su eficiencia. Crean armonía en las naciones y en la humanidad. El amor y la armonía vinculan a la humanidad con centros mayores de sabiduría, luz y poder.

El amor y la alegría afectan a los animales, los hacen más protectores de sus amos y más productivos.

El amor y la alegría afectan al reino vegetal - árboles, arbustos, flores y vegetales. Da amor y alegría, y tu aura nutrirá al reino vegetal; tus árboles darán más frutos y tus flores serán más fragantes.

3. El amor y la alegría son energías que causan expansión. Expanden tu consciencia, tu horizonte y tu inclusividad. Expanden el campo de tu influencia espiritual.

El arte eleva y transforma a la gente cuando está cargado con la energía del amor y la alegría. Una expresión alegre de talento creativo expande la comprensión de la gente. Una obra de arte llena de amor hace que la gente toque dimensiones más elevadas.

4. El amor y la alegría cargan los cuerpos etérico, astral y mental con magnetismo. La personalidad del hombre se convierte en un imán, atrayendo ideas y visiones superiores, al igual que prana del sol. La verdadera asimilación del prana y de los alimentos llega a su punto máximo cuando una persona ama y está llena de alegría. Las personas amorosas y alegres atraen a quienes las ayudan y apoyan su servicio para la humanidad.

Una persona alegre y amorosa vive en abundancia, disfrutando los frutos de su labor. Muchas personas ganan dinero, pero no lo disfrutan hasta que el amor y la alegría llenan sus corazones.

5. El amor y la alegría lentamente remueven los velos, muros y obstáculos entre las personas, y establecen contacto y comunión. Las personas se revelan como son cuando sienten que las amas, cuando sienten que tienes alegría en tu corazón. El amor y la alegría crean gran confianza y te permiten ver cosas en la gente que nunca habías visto. A través del amor y la alegría, las causas de los problemas se ven y manejan de la manera correcta. El amor remueve barreras entre planos.

6. La alegría y el amor elevan a la gente. A medida que incrementamos nuestro amor y nuestra alegría paso a paso, elevamos el foco de nuestra consciencia, elevamos nuestra posición social, elevamos nuestro amor, elevamos nuestros corazones y nuestras mentes de los insignificantes problemas de la vida, y llenamos nuestros corazones con inspiración para futuros logros.

Extiende tu mano con alegría y amor, y las personas se agarrarán de ella y se elevarán de sus problemas y angustias comunes. Acércate a los enfermos con amor y alegría, y su tonalidad cambiará y se elevará. Habla con alegría y amor, y elevarás a las masas.

7. La alegría es un tónico para los nervios; el amor purifica la sangre y fortalece el corazón. La alegría y el amor son grandes escudos contra ataques astrales y contra las fuerzas oscuras. Las fuerzas negativas y oscuras odian la alegría y no pueden respirar en la fragancia del amor.

El amor y la alegría fortalecen un grupo, una sociedad, una nación, y los vuelve invencibles.

Antes de comer o beber, carga tu alimento o tu agua con amor y alegría, y notarás una gran diferencia en tu salud. Antes de hablar, antes de intentar servir, cárgate con amor y alegría, y verás cómo las personas se elevan y fortalecen.

La irradiación del amor revela mayores profundidades de tu naturaleza. Con estas mayores profundidades, mayor alegría se vierte. Cuando amas, revelas tu Esencia más Interna. A través de tu propia Esencia, la Esencia del Gran Misterio alborea en tu corazón.

El amor y la alegría son vehículos del Propósito Divino. «Dios es Amor». Al amar, te encontrarás con Dios. Sin amor, nunca comprenderemos el Plan y el Propósito de Dios.

Para comprender el amor y la alegría, debemos tratar de experimentarlos. En cualquier momento en que amemos, debemos tratar de conocer el nivel de nuestro amor y su motivo. Puede tratarse de amor físico, amor emocional, amor mental o amor superior. Puede ser amor personal, amor grupal, amor nacional, amor global, o amor por el Infinito.

A medida que el nivel del amor se eleva y el motivo detrás de él se hace más inclusivo, tu consciencia se expande y tu comprensión se profundiza en igual proporción.

Lo mismo debe hacerse con nuestra alegría. Observa dónde descansa tu alegría, dónde comienza y dónde termina. Encuentra las causas de tu alegría y trata de ver claramente el nivel en donde se originó.

Después de observar unos pocos niveles de tu alegría, trata de elevar el nivel de tu alegría y hacerla más inclusiva, hasta el punto en donde sientes alegría por toda la existencia. Después de esta etapa de alegría, te conviertes en una corriente de amor y alegría.

La energía del amor y la alegría puede manifestarse en cualquier nivel de la existencia humana. A medida que el nivel a través del cual la energía del amor y la alegría se expresa a sí misma es de un nivel más elevado, recibes una mejor y más profunda respuesta del mundo. Tu alegría más profunda evoca una alegría más profunda en los demás. Tu amor más profundo evoca un amor más profundo en los demás. Eventualmente, uno llega a una etapa en la que el amor y la alegría se funden con el amor y la alegría de millones de personas. Esta fusión abre las puertas del futuro para la humanidad y la protege de acciones equivocadas o autodestructivas.

> *...La medida de la comprensión es el grado del amor... el amor, sobre todo, atrae al Fuego del Espacio... Así como una palanca pone las ruedas en movimiento, de igual modo el amor produce la más fuerte reacción. Comparado con el resplandor del amor, el odio más fuerte se refleja sólo como una marca horrible. Pues el amor es la realidad y el tesoro verdaderos.*[17]

«*...La medida de la comprensión es el grado del amor... el amor, sobre todo, atrae al Fuego del Espacio...*». El Fuego del Espacio es el amor contenido en el espacio en que vivimos, nos movemos y tenemos nuestro ser. Cuando sigues amando, tu amor aumenta, elevando su nivel a tal grado que eventualmente te conviertes en un sacrificio total por la humanidad. El Fuego del Espacio te consume. El fuego del amor te consume. Nada queda en ti excepto el amor — un amor total por la vida y todas sus formas.

El Fuego del Espacio consume todo lo que está apegado a ti, pero tú no eres aniquilado. Tú, como una gota, te conviertes en el océano. Un solo segundo de realización de este estado bendito se lleva todo el temor, y tú brillas con el amor de la vida.

17. Agni Yoga Society, *Agni Yoga*, párrafo 424.

«...Así como una palanca pone las ruedas en movimiento, de igual modo el amor produce la más fuerte reacción». Tu amor se profundiza e incrementa a medida que la reacción hacia tu amor aumenta. La ingratitud, las traiciones de diversas formas, el odio y la acción emprendida para destruir tu reputación y tu trabajo son reacciones ante tu amor. Debido a tu amor, estas fuertes reacciones abren el camino del rayo de tu amor para que fluya abundantemente. Eventualmente, la reacción se convierte en una respuesta.

El amor y la alegría operan milagros en aquellas condiciones en donde hay una carencia de amor y alegría. Por lo tanto, el enemigo debe ser respetado porque trabaja libremente para tu mejora y perfección.

«Comparado con el resplandor del amor, el odio más fuerte se refleja sólo como una marca horrible». El resplandor del amor aumenta a medida que más amas. Si usas el amor continuamente en un nivel sin tratar de usarlo en niveles más elevados, eventualmente se convierte en tu enemigo e incendia tu mecanismo. El modo más seguro de usar la energía del amor es esforzarse continuamente en usarla en niveles y planos cada vez más elevados a medida que surge la necesidad.

Si una persona tiene un nivel de amor y no hay esfuerzo para elevar ese nivel, te cansas de esa persona y buscas a quien pueda amar contigo en muchos niveles y planos — o en todos los planos, si fuera necesario. Si el amor no aumenta, entonces disminuye y se convierte en una fuerza negativa. El amor existe solamente en su proceso de expansión. El amor que disminuye se convierte en odio, en interés personal, en «mío y tuyo», en ira, violencia, celos y eventualmente en apatía e inercia.

> *...Hace dos mil años se indicó que el Fuego devoraría la Tierra. Hace muchos miles de años, los Patriarcas advirtieron a la humanidad sobre el*

peligro del fuego. La ciencia ha fallado en prestar atención a muchas señales. Nadie quiere pensar en escala planetaria. Por ello, Nosotros hablamos antes del tiempo abrumador. Uno no puede sin embargo escapar a la hora postrera. La ayuda puede extenderse, pero el odio no será el que cure.[18]

El «tiempo abrumador» está frente a nosotros. Es el tiempo de la guerra atómica, del cataclismo natural, de la depresión, del odio, del desempleo y de la degeneración moral. Es el tiempo del aumento del crimen, del abuso de las drogas, de la contaminación ambiental, etcétera. Cuando los resultados de todo esto se combinan, tienes el «tiempo abrumador» — el Armagedón de los videntes.

Los científicos se han mantenido ocupados inundando el mercado son sus inventos, pero han prestado poca atención al cada vez mayor cinturón de contaminación ambiental que rodea al planeta. Se nos dice que esta acumulación de gases, que abarca de tres a seis kilómetros, un día puede incendiarse y el planeta con todos sus científicos puede reducirse a cenizas. Nadie se salvará si esta locura de jugar con la Naturaleza continúa.

Antes de esa hora abrumadora, es posible cambiar la dirección de la vida por medio del amor y la alegría, que conducirán al planeta a la cordura, la salud, la pureza y la belleza. Para trabajar por el bienestar de una sola humanidad, debemos revisar nuestras vidas y ver si hay alegría y amor crecientes detrás de todo lo que pensamos, sentimos y hacemos.

Cierto día un abogado amigo me dijo: «Trabajé día y noche y me convertí en una máquina de ganar dinero. No hay amor ni alegría en semejante vida mecánica».

18. Agni Yoga Society, *Mundo Ardiente,* Vol. II, párrafo 9.

Le contesté que había millones de personas como él, y que el único modo de escapar de esa vida mecánica consistía en introducir alegría en todos sus pensamientos, sentimientos y acciones, y empezar a hacer cosas como un servicio amoroso para los demás.

Sabemos que el planeta y la humanidad pueden ser salvados por los heroicos esfuerzos de aquellos que aman a este planeta y aman a la humanidad.

> *...Ningún logro creativo, ninguna cooperación y, de hecho, ninguna comunidad es posible sin magnanimidad. Uno puede observar cómo a través de la magnanimidad, el trabajo se vuelve diez veces más fácil y, parecería ser que nada podría ser más sencillo durante una labor inspirada que ¡desear solamente el bien y el éxito de nuestro prójimo! La alegría es el resultado de la labor manifestada. La alegría es una gran ayudante.*[19]

El trabajo es esforzarse por cambiar la vida y convertir al planeta en un lugar mejor para vivir. El trabajo es esforzarse para que las personas amen más, hagan su amor más inclusivo. A través de tal labor, la alegría es liberada y manifestada. La alegría te inspira para que lleves a cabo tu labor a pesar de las condiciones adversas. Cada labor verdadera incrementa tu alegría, y la alegría incrementa tu entusiasmo para laborar más.

La magnanimidad es la habilidad de erguirte sobre todas las condiciones adversas en gran amor y alegría. Es la habilidad de desarrollar tu labor con visión y con inspiración del Futuro. La magnanimidad es una gran solemnidad espiritual y dignidad del Espíritu. Es la real grandiosidad del Divino Ser Interior. Es la magnanimidad la que irradia la alegría solemne, el amor profundo, que persisten en todas las condiciones adversas.

19. Agni Yoga Society, *Mundo Ardiente,* Vol. III, párrafo 424.

La alegría descansa dentro de sí misma y tiene, antes que nada, la cualidad de ser directa, honrada y ser una sonrisa para todo. Precisamente, la alegría ayuda a tender un puente sobre todos los obstáculos hostiles. La alegría es uno de los mejores medios para superar los ataques hostiles... La alegría es siempre la senda más corta hacia la exaltación...[20]

¡Esto es tan bello! Uno puede usar la cita anterior durante un año como pensamiento-simiente para la meditación. Los grandes sabios aconsejaban a sus discípulos que meditaran sobre la alegría y midieran su vida diaria por los estándares de alegría. La exaltación del espíritu humano sólo puede verse en una alegría flameando con amor. La alegría transforma nuestro ser y nos eleva más cerca de nuestra Esencia.

Hablando de los tipos de amor, notemos el amor que detiene y el amor que inspira. En esencia, el primer amor es terrenal y el segundo es celestial. Pero ¡qué multitud de esfuerzos constructivos fueron destruidos por el primero! ¡Y una multitud similar fue impulsada por el segundo! El primero es consciente de todas las limitaciones de espacio y consciencia; pero el segundo no tiene necesidad de medidas terrenas... El segundo amor abarca el mundo físico y los Mundos Sutiles y Ardientes. Enciende los corazones para la alegría suprema y es por lo tanto indestructible. Así, expandamos el corazón — no hacia la Tierra sino hacia el Infinito.[21]

Las personas «expanden el corazón» hacia la Tierra para poseer la Tierra, y eventualmente descubren que son poseídos por la Tierra. Por lo tanto, la alegría desaparece. Por lo tanto, el amor desaparece. La Tierra las absorbe.

20. Roerich, Nicholas K., *Abode of Light*, p. 41.
21. Agni Yoga Society, Corazón, párrafo 242.

Cuando las personas expanden sus corazones hacia el Infinito o hacia valores espirituales, la Tierra Misma ofrece Su belleza y amor, y ayuda a las personas a ascender hacia su verdadero destino. Se nos dice que poseer la Tierra no es nuestro destino. La Tierra es una estación a lo largo del sendero hacia el Infinito. Aquéllos que son poseídos por la Tierra, permanecerán en Ella, como un pasajero bajado del tren.

> *...Es útil impregnar el espacio con alegría, y muy peligroso esparcir pesar en los cielos... La alegría es la salud del espíritu.*[22]

«Es útil impregnar de alegría el espacio...». Raras veces nos damos cuenta de que, cuando pensamos, sentimos y actuamos, inyectamos varios tipos de sustancias en el Espacio. La alegría es una sustancia; el temor es otra sustancia. El amor, el odio y la gratitud son diferentes clases de sustancias. Es necesario que nos preguntemos qué clase de sustancia estamos descargando en el espacio.

El espacio puede contaminarse con la sustancia de las ilusiones, los espejismos y los motivos equivocados. Esas sustancias contaminan a las personas que, debido a sus diversas debilidades, introducen esas sustancias en sus propios mecanismos.

También es importante saber que cada ser humano tiene un espacio, una esfera alrededor de su cuerpo. Esta esfera puede expandirse o contraerse. Se expande si la sustancia que estás inyectando en el espacio mayor tiene la naturaleza del amor, la alegría y la belleza. Pero si la sustancia que estás inyectando tiene la naturaleza del odio, los pensamientos viles y los crímenes, entonces gradualmente reduces tu espacio y te sepultas en tu propia sustancia negativa y mortal. Muchas enfermedades de la mente, el corazón y el cuerpo son el resultado de reducir la esfera que te rodea.

22. Agni Yoga Society, *Mundo Ardiente,* Vol. I, párrafo 298.

A medida que tu esfera se expande a través de los pensamientos correctos, los actos correctos y las condiciones amorosas, a través de la alegría y el amor, penetras en un espacio mayor e introduces energía viviente mucho más fina, más luz, amor y poder en tu sistema.

La sustancia de la alegría es un gran alimento y un gran tónico e inspiración para quienes se están esforzando en el sendero del servicio, en el sendero de la iluminación y en el sendero de la evolución consciente.

Nuestra aura, impregnada de alegría, es una colorida sinfonía con gran magnetismo. Solemos impregnar nuestras habitaciones, nuestros jardines y nuestras oficinas con preocupaciones, con sentimientos negativos, con formas de pensamiento destructivas y de diversas clases. La esfera que rodea nuestra vivienda y lugar de trabajo se contamina tanto con esa polución, que a nuestra alma le resulta muy difícil respirar y ser creativa. En lugar de tales sustancias negativas, podemos llenar nuestros hogares y oficinas con la sustancia del amor y la alegría, y de ese modo, incrementar nuestra vitalidad, creatividad y servicio en favor del mundo.

Había una muchacha deprimida que trabajaba en la oficina de correo cerca de mi casa. Se veía muy triste. Un día, en lugar de hablar con ella, la miré y sonreí.

«¿Qué desea?», me preguntó.

«Estampillas».

«¿Cuántas y de qué clase?».

«Tres estampillas de diez centavos». Las pagué y le dije: «Sabes, tus ojos…¡Oh, no tiene importancia!».

«¿Qué ocurre con mis ojos?».

«Tus ojos…».

«Vamos… ¿De qué se trata?».

«Ahora no te lo puedo decir», le contesté y me marché.

La semana siguiente, aguardé hasta que llegó mi turno. Ella me estaba mirando y aguardándome.

«Dos estampillas de diez centavos, por favor».

«¿Qué ocurre con mis ojos?».

«Sabes, quiero contarte un secreto».

«¿De qué se trata?».

«Cuando sonríes, tus ojos son muy bellos, pero si sigues viéndote triste, tus ojos parecen los ojos de una bruja».

«¿En serio que es así?».

«Sí. Trata siempre de sonreír y serás muy bella». Me miró muy sonriente y yo me fui.

Después de eso, cada vez me daba una sonrisa más grande. Cinco meses después, desapareció. Le pregunté a otro empleado: «¿Dónde está ella?».

«¿Su muchacha sonriente?».

«Sí».

«La ascendieron. Está trabajando en la oficina. Usted le cambió la vida».

«¿Puedo verla?».

«Sí».

El empleado fue a informarle. Ella salió y me abrazó, y con una sonrisa muy bella me dijo: «El día en que usted me enseñó a sonreír, brotó alegría de mi corazón. Ahora soy feliz. Gracias por lo que usted hizo por mí».

«Impregnemos de alegría el espacio». Comienza con una sonrisa, y el resto lentamente sucederá.

Es «*muy peligroso esparcir aflicción en los cielos… La alegría es salud del espíritu*». Un espacio estratificado con aflicción es un espacio a través del cual operan fuerzas destructivas y negativas. Hasta a los gérmenes les gusta un espacio lleno de dolor; ellos crecen allí más abundantemente. A las fuerzas oscuras les gusta la depresión y la aflicción porque pueden fácilmente controlar una persona atrapada por la aflicción y la depresión. La aflicción bloquea la visión del futuro, desvitaliza tu cuerpo y paraliza tu intelecto.

> *...El dominio exitoso de todas las pruebas radica en nuestros corazones y consiste en nuestro amor por el Señor. Si estamos llenos de amor, ¿pueden existir obstáculos? Incluso el mismo amor terrenal crea milagros. ¿Acaso el amor ígneo por la Jerarquía no multiplica nuestras fuerzas?*[23]

Nos cuentan que los discípulos acudieron a Cristo y le dijeron: «¿Cómo sabrán ellos que somos Tus discípulos?» Ellos esperaban que Él dijera: «Tú serás un coronel. Tú serás un rey. Tú serás una reina. Y la gente sabrá que tú lo eres...». Él respondió: «El mundo sabrá que son Mis discípulos cuando se amen unos a otros». Yo creo que quiso decir: «Si realmente se aman unos a otros y no dejan que ese amor desaparezca, haciendo que ese amor se haga más y más profundo, ellos sabrán que son Mis discípulos, porque Yo soy el Amor Manifestado. Sólo puedes dar testimonio del amor siendo el amor. La gente sabrá si estás expresando, viviendo o manifestando la sustancia — el amor — que yo les traje. Pero si se odian unos a otros, si crean separatividad, ¡no son Mis discípulos!».

El amor y la alegría más grandes existen entre aquellas personas que realmente sirven al Señor y a la Jerarquía. Su amor es permanente, y su alegría aumenta siempre.

El esfuerzo hacia el Señor saca al alma humana de sus problemas y sus relaciones de la personalidad, y la eleva más cerca del Centro del Espíritu. Cuanto más cerca uno está de su Ser Verdadero, mayores son las irradiaciones de la alegría y el amor.

23. *Ibíd.*, párrafo 637.

El hombre se carga con energía cuando consagra su vida a un ideal.

> *Se dijo: «No entres en el Fuego con ropajes inflamables, sino más bien trae contigo una ardiente alegría". En esta indicación subyace todo el requisito previo para la comunión con el Mundo Ardiente. En verdad, aún los ropajes del Mundo Sutil no siempre son adecuados para el Mundo Ardiente. De igual modo, también, la alegría del ascenso debe trascender cualquier alegría terrena... Hasta en las flores de la Tierra, en el plumaje de los pájaros y en las maravillas de los cielos uno puede descubrir esa misma alegría que nos prepara para las puertas del Mundo Ardiente».*[24]

«Los ropajes inflamables» son los vehículos físico, emocional y mental, los cuales están llenos de contaminantes de varios tipos. Incrementar la energía de las esferas superiores quema tus vehículos si no están puros. Sólo un vehículo purificado puede soportar la presión y el fuego de los planos superiores.

La alegría ardiente purifica los vehículos y los vuelve «a prueba de fuego». La alegría ardiente elimina los vicios de tus cuerpos. Una vez que se purifican de las tendencias terrenales, se convierten en canales de amor puro, belleza, bondad y verdad. Solamente mediante «ropajes» purificados podemos estar en presencia del Gran Ser o entrar en Su Ashram.

El amor y la alegría aumentan con cada paso en nuestro ascenso hacia el Señor, hacia la visión. Sólo una vida dedicada al bienestar de la humanidad da testimonio de la alegría del ascenso. La alegría y el amor aumentan en nuestros corazones en tal proporción que eventualmente estamos dispuestos a sacrificar todo lo que somos y todo lo que tenemos por el servicio de la Vida Única.

24. *Ibíd.*, párrafo 638.

Hay doce obstáculos principales para el amor y la alegría. Si tú conquistas o evitas estos obstáculos, tu amor y alegría aumentarán.

El primer obstáculo es la presión. Cada vez que ejerces presión sobre otros, o tratas de forzar tu voluntad sobre la voluntad de otros, el amor y la alegría se debilitan y eventualmente desaparecen. El amor y la alegría sólo aumentan en un estado de libertad.

Las personas tratan incluso de presionar con sus pensamientos, ideas, visiones, sueños y arte, pero con el tiempo se dan cuenta de que un rechazo creciente se está acumulando contra ellas. La alegría y el amor verdaderos no necesitan presión. Irradia tu amor, irradia tu alegría, irradia tu belleza. No uses ninguna forma de presión. Los amigos y colaboradores verdaderos son aquellos que acuden a ti por elección libre. La amistad forzada se convierte eventualmente en fuente de aflicción.

El segundo obstáculo son los celos. Los celos debilitan la energía del amor y la alegría. Queman los tejidos de los vehículos etérico, astral y mental, y disipan el amor y la alegría. Los celos quieren poseer y, quienquiera que posea algo, eventualmente con el tiempo pierde su amor, su alegría. pierde su vida.

Una persona celosa actúa como un agente inconsciente para las fuerzas oscuras. Los celos impiden que la alegría y el amor crezcan entre las personas. Destruyen las semillas de realizaciones futuras.

El tercer obstáculo es la negación de la libertad de otras personas. Esta transgresión extingue literalmente la llama de tu amor y alegría. Sólo en libertad aumenta el amor y florece la alegría. Deja que sea libre la persona a la que amas; en su libertad encuentra tu propia alegría. Deja que esa persona decida o planifique, siga los dictados de su propia consciencia y use su propio libre albedrío. Si mantienes esa actitud, no sólo con los más cercanos sino con todas las personas, verás el incremento del amor y la alegría en tu corazón.

Respeta las ideas y las visiones de los demás; sé tolerante y haz que ellos respeten tus ideas y visiones. Si tus ideas y visiones son más inclusivas, incrementarás tu amor y alegría.

El cuarto obstáculo de la alegría y el amor es la tendencia a abusar de las personas y de sus pertenencias. Con tal tendencia, el amor y la alegría eventualmente se evaporan porque el espíritu de la explotación descansa en tu corazón.

Había dos amigos, un muchacho y una muchacha, que estaban enamorados y alegres. Un día, el muchacho le preguntó a ella:

«¿Cuánto ganas mensualmente?».

«Novecientos dólares».

«Eres verdaderamente muy linda. ¡Te quiero tanto! Tú sabes cuánto te amo, ¿no es cierto?».

«Sí, lo sé».

«Quiero ir a la Facultad, y si me mantienes durante cinco años, seré abogado y entonces cuidaré de ti».

La muchacha vaciló, pero debido a sus emociones, accedió y se casaron. Tuvieron dos hijos antes de que el muchacho se graduara de la Facultad de Derecho. Ella hizo todo lo que pudo para mantener a su marido. Después de graduarse, vino a verme para hablar sobre su graduación.

«¡Qué hermoso! ¡Lo hiciste! Y tu esposa fue una heroína. Te mantuvo durante cinco años…».

«Sin embargo", dijo él, «me gustaría dejarla».

«¿Dejarla? ¿Por quién?».

«Lo que quiero es divorciarme».

«Pero…».

«Me estoy enamorando de otra mujer»

«¿De verdad? ¿Qué piensa tu esposa?».

«No lo sé. Está un poco preocupada».

«¡Pero ella te mantuvo durante cinco años!».

«Si, pero…».

Se divorciaron, y él se las ingenió para contribuir con la mínima ayuda económica para sus hijos. Solía venir a mi oficina y yo le preguntaba: «¿Eres feliz?».

«Algo. Me gusta esta muchacha; nos divertimos mucho, pero hay algo en mí que está cerrado. No puedo amar. No estoy alegre, y ella lo siente…».

«No puedes manipular ni usar a la gente con el amor», le dije, «porque la fuente del amor se seca si no hay sacrificio, sinceridad y lealtad». Nunca le volví a ver.

El quinto obstáculo es la falta de inclusividad. La falta de inclusividad es una gran enemiga del amor y la alegría. El amor y la alegría semejan fragancias; pues se expanden y diseminan. La falta de inclusividad crea barreras y muros en tu mundo interior.

La inclusividad abre la senda de la expansión. La alegría y al amor no pueden ser enjaulados; deben fluir y expandirse. La inclusividad conduce a las rectas relaciones humanas, la comprensión internacional, al respeto y al aprecio.

La falta de inclusividad constituye culto personal y separación, los que eventualmente engendran agresividad, odio y conflicto. La alegría y el amor desaparecen en una atmósfera de separación. Una vez que desaparecen, el odio y la depresión toman su lugar.

El sexto obstáculo es la falta de rectitud. Si no eres recto en tus pensamientos, respuestas emocionales y acciones, no tendrás verdadera alegría en tu corazón, y el amor jamás florecerá en ti.

La alegría y el amor aumentan cuando respetas los derechos de los demás. Las personas que no han sido rectas con los demás llevan una pesada carga en su conciencia y eventualmente esa carga se convierte en una presión y se expresa a través de diversas enfermedades y trastornos en sus vidas.

Una persona recta tiene alegría y amor, aunque la gente no la comprenda.

El séptimo obstáculo del amor y la alegría es la fealdad. La belleza incrementa la alegría y el amor; la fealdad los hace desaparecer. Tu amor y tu alegría se disipan cuando experimentas un pensamiento, una emoción o una acción feos, o cualquier expresión fea. Tus pensamientos son feos cuando son egoístas, dañinos, criminales, separatistas, falsos, etcétera. Tus emociones son feas cuando son negativas, cuando carecen de solemnidad. Tus acciones y expresiones son feas cuando son destructivas, insultantes, denigrantes y motivadas por el interés personal.

A medida que uno remueve la fealdad de su entorno, de sus pensamientos, reacciones emocionales y acciones, la alegría llena su corazón y el amor aumenta en uno. La belleza siempre resplandece en la alegría y el amor.

El octavo obstáculo es la falta de sinceridad. Ningún amor o alegría existen en un corazón que tiene una actitud carente de sinceridad respecto de otros seres humanos. El amor y la alegría no pueden existir donde la sinceridad está ausente. Una persona carente de sinceridad eventualmente descubre que su amor y su alegría se están disipando. La falta de sinceridad causa desintegración en la sustancia mental y corta el hilo que existe entre el Guía Interior y la persona. Para tener alegría y amor debemos esforzarnos con todo nuestro corazón en ser sinceros y honestos con el mundo.

El noveno obstáculo de la alegría y el amor es la intromisión. Una persona entrometida no puede incrementar su amor y alegría. Está siempre ocupada con asuntos de la personalidad. Critica y juzga; interfiere en las decisiones de los demás, mental o verbalmente. Evoca reacciones e intromisiones en la vida personal de los demás.

Al amor no le gusta la intromisión. La alegría no vive donde hay imposición de pensamientos y modales.

La intromisión incrementa tus preocupaciones y lastima a los demás. Un individuo entrometido no puede ganar su libertad; usualmente se halla atrapado en la red de los chismes.

El décimo obstáculo es la crítica. La crítica crea rechazo. Tu aura se endurece en su periferia. Cada vez que criticas te impones sobre los demás; impones tu personalidad sobre los demás. Tu personalidad se hace gruesa en tal manera que tu alma difícilmente encuentra una oportunidad para proyectar su luz.

La crítica no permite a los demás vivir experiencias y experimentar. No los deja crecer y ser ellos mismos. La crítica presenta e impone sus propios moldes, y quiere que todos sean moldeados según sus estándares. De esta manera, limita los horizontes y esfuerzos de los demás.

El amor y la alegría no pueden crecer y expandirse en una atmósfera de críticas. El amor y la alegría existen para todos. Cuando lastimas a alguien, lastimas tu amor y tu alegría.

El undécimo obstáculo de la alegría y el amor es la negligencia y el orgullo. Ambos marchan juntos. El amor es cuidadoso. La alegría se comunica e identifica con las almas de los demás, con el éxito y los logros de los demás.

La negligencia nos lleva a la irresponsabilidad. En donde no existe el sentido de responsabilidad, no hay amor consciente ni alegría verdadera. El amor y la alegría son dos grandes pilares de luz que conducen a las personas hacia la espiritualidad, hacia la universalidad y hacia los valores más elevados de la vida. El amor y la alegría no pueden existir en una atmósfera contaminada por debilidades y vicios humanos.

El orgullo es separatista. El amor es totalizador. El orgullo menosprecia a los demás. El amor y la alegría defienden la belleza y el interés de los demás.

La gente piensa que el amor y la alegría son propiedades personales. No son propiedades personales. Son como el brillo del sol, como el aire, como la fragancia de las colinas. Pertenecen a todos o no existen. El orgullo rechaza toda alegría y todo amor.

El duodécimo obstáculo al amor y la alegría es el apego. Te apegas a algo o a alguien, y dices: «la amo, lo amo, le amo». Pero eventualmente te asombrarás cuando trates de hacerlo tu propiedad y poseerlo para tu disfrute personal, porque perderás lentamente tu amor y tu alegría.

El apego a cualquier objeto que amas hace que pierdas tu alegría, y tu amor por ese objeto producirá una gran desilusión. Uno no puede aferrarse al objeto de su amor y alegría. Sólo a través de la ausencia de apego al objeto que amas puedes perpetuar tu amor y tu alegría.

El amor aumenta cuando lo das y dejas que las personas amen lo que ellas quieren. Incrementas tu alegría incrementando la alegría pura de los demás. No puedes correr detrás del amor y la alegría; están dentro de ti y en todas partes. Al buscar el amor y la alegría, te pierdes a ti mismo. Al ser el amor y la alegría, encuentras a tu Verdadero Ser.

La alegría y el amor crean un elemento en nuestro cuerpo etérico y precipitan un tipo de sustancia en nuestros canales nerviosos que disuelve los venenos acumulados en nuestro sistema a través de la irritación, el pesar, la depresión y otras emociones, pensamientos o acciones negativos.

Finalmente, la alegría y el amor expanden el campo de nuestro magnetismo dentro de nuestra aura, y recibimos inspiración e impresiones de Reinos Superiores, Galaxias y Grandes Existencias. Ese contacto enriquece extremadamente nuestras habilidades creativas.

Aquellos que viven bajo la luz de la belleza, la alegría, el amor y la libertad, viven en el futuro y crean una cultura que evocará los mejores poderes creativos de las generaciones venideras. Ésta es la manera en que el sendero de perfección para la humanidad está pavimentado hacia logros mayores y hacia mayor salud y dicha[25].

> *En verdad, en cada esfuerzo hacia la cumbre, en cada ascenso, está contenida una alegría no revelada. Un impulso interior llama irresistiblemente a la gente hacia las alturas.*[26]

25. Tomado del Cap. 11 en *La Llama de la Belleza, Cultura, Amor y Alegría,* por Torkom Saraydarian.
26. Roerich, Nicholas K., *Himavat,* pag. 12.

Índice

B

C

D

E

F

G

H

I

K

L

M

N

O

P

R

CONTINUANDO CON EL LEGADO

Torkom Saraydarian dedicó su vida entera a servir a los demás en el crecimiento espiritual. Al momento de su muerte física en 1997, muchos libros habían sido ya publicados y más de 100 manuscritos estaban a la espera de su publicación.

Torkom Saraydarian tenía la sabiduría y habilidad únicas para escribir todos estos libros magníficos y componer cientos de composiciones musicales en el lapso de una sola vida. La publicación y archivo de sus trabajos creativos tomará también una vida completa de esfuerzo cooperativo de nuestra parte. Necesitamos sus contribuciones y respaldo continuo, pues juntos podemos hacer que su sueño sea una realidad, y podemos hacer que su legado fructifique.

Un fondo especial, el *Fondo de Publicación de Libros de Torkom Saraydarian*, ha sido creado para la publicación de sus libros. Adicionalmente, un *Fondo de Donaciones* ha sido establecido para la perpetuación de todos sus trabajos creativos.

Contáctenos para más detalles y actualizaciones concernientes a los programas de publicación y archivo.

Usted puede contribuir con fondos para un libro entero, o dar cualquier cantidad que desee sobre una base continua, o como una contribución única.

Muchas gracias por su respaldo amoroso y continuo.

SOBRE EL EDITOR

T.S.G. Publishing Foundation, Inc. es una organización no gravable sin fines de lucro. Fundada el 30 de noviembre de 1987 en Los Angeles, California, se trasladó a Cave Creek, Arizona, el 1o. de enero de 1994.

Nuestro propósito es el de ser un sendero para la auto-transformación. Estamos completamente dedicados a la publicación, enseñanza, distribución y archivo de los trabajos creativos de Torkom Saraydarian.

Nuestra oficina y tienda en línea ofrecen una colección completa de los trabajos creativos de Torkom Saraydarian para la venta y distribución.

Nuestro boletín Outreach contiene artículos que fomentan el pensamiento y está disponible tanto en material impreso como en nuestra página web con notificaciones electrónicas gratuitas.

Free Wisdom es un servicio en línea para mantenerle actualizado sobre eventos, materiales interesantes y lecturas inspiradoras.

También conducimos clases, seminarios especiales de entrenamiento, Conferencias Anuales en los Estados Unidos e internacionalmente, y cursos de meditación para el estudio desde el hogar.

Contáctenos o visítenos en línea para detalles sobre nuestras actividades y eventos actuales y venideros.

Página web: www.TSGFoundation.org

LA UNIVERSIDAD TORKOM SARAYDARIAN

Torkom Saraydarian soñó con un centro de entrenamiento, usualmente llamándolo la Universidad, donde hombres y mujeres pudieran ser entrenados en la teoría y aplicación de los Principios y Valores Superiores de la Sabiduría Eterna. Llamó a tal educación superior "Educación Acuariana" y motivó continuamente a sus estudiantes a formar tal institución en el futuro.

> *Hay una creciente necesidad de liderazgo en el área del conocimiento esotérico. Más y más gente se está desilusionando de las enseñanzas que reciben de oportunistas, de gente que tiene buenas intenciones pero están llenos de espejismos y vanidades, o de gente que quiere usar la Enseñanza como un negocio para recolectar dinero.*
>
> *Un gran daño se hace las personas que se aproximan a la Enseñanza con sinceridad en su corazón y son atrapados por grupos, instituciones u organizaciones que son sólo para actividades sociales o que funcionan como trampas de explotación. Algunos de estos buscadores gradualmente se olvidan de su búsqueda y se adaptan al entorno. Algunos de ellos suprimen totalmente su aspiración y esfuerzo espiritual debido a su desilusión. Sólo un pequeño porcentaje, a través de la discriminación, continúa su búsqueda para encontrar el campo adecuado donde puedan crecer y servir.*
>
> *El número de verdaderos buscadores está incrementándose. Debemos prepararnos para satisfacer sus necesidades y al mismo tiempo, resguardarnos de los peligros de caer en las vanidades, los espejismos, o en la utilización de los buscadores para nuestros propios intereses.*
>
> Torkom Saraydarian, *Leadership I,* p. 16.

Nuestros primeros cursos de entrenamiento fueron lanzados en setiembre 2000. Tenemos clases presenciales así como por correspondencia. Para información sobre las clases y el registro en línea, visite nuestra página web o escríbanos.

www.tsgfoundation.org/tsguniversity

INFORMACIÓN PARA PEDIDOS

Los trabajos completos de Torkom Saraydarian:

- Libros.
- Folletos.
- Música.
- Conferencias en audio y vídeo.
- Cursos de Meditación y estudio.
- Boletines gratuitos por correo electrónico.
- Visita nuestra sección de libros electrónicos en nuestra página web para ver las últimas actualizaciones.
- Catálogos completos disponibles en línea.
  www.tsgfoundation.org

Por favor contáctenos para información adicional:
TSG Publishing Foundation, Inc.
P.O. Box 7068
Cave Creek, AZ 85327–7068
United States of America
Tel: (480) 502–1909
Fax: (480) 502–0713
E-mail: *info@tsgfoundation.org*
espanol@tsgfoundation.org
Website: *www.tsgfoundation.org*